LE GOÛT DE NOTRE TEMPS

Collection établie et dirigée par

ALBERT SKIRA

ÉTUDE BIOGRAPHIQUE ET CRITIQUE

PAR

LIONELLO VENTURI

Traduit de l'italien par Rosabianca Skira-Venturi

PIERO DELLA FRANCESCA

SKIRA

PIERO DELLA FRANCESCA

est, de tous les peintres italiens, celui qui a éveillé le plus d'échos dans la conscience artistique moderne. A l'église Saint-François d'Arezzo et dans les musées où elles sont conservées, ses œuvres exercent sur le visiteur une sorte de fascination; elles l'introduisent dans un espace spirituel où les créatures réelles vivent baignées d'une lumière d'éternité. La volonté d'abstraction qui s'est imposée depuis le commencement de ce siècle trouve sa meilleure correspondance dans le goût de Piero della Francesca pour la contemplation, qu'il préfère toujours à la représentation des actions. Réalité et abstraction, vie et contemplation atteignent dans son art un équilibre parfait et unique. Peintre aux couleurs sereines, géomètre, mathématicien, inventeur de formes monumentales, Piero della Francesca apparaît, entre Masaccio et Léonard de Vinci, comme une personnalité majeure de l'humanisme.

PIERO DELLA FRANCESCA

PROPHÈTE, DÉTAIL - LA LÉGENDE DE LA CROIX.
FRESQUE. AREZZO, ÉGLISE SAINT-FRANÇOIS.

PIERO DELLA FRANCESCA ET SON IDÉAL

Celui qui regarde l'œuvre de Piero della Francesca dans son ensemble est avant tout impressionné par le caractère monumental qui s'en dégage. Il faut donc essayer de spécifier en quoi ce trait est propre à Piero, car chez bien des artistes d'époques ou de pays différents apparaît la même recherche de monumentalité. Disons tout d'abord qu'il ne se préoccupe pas d'exprimer la haine ou l'amour; on pourrait même déceler chez lui une certaine indifférence de sentiments. Tandis que Masaccio crée une œuvre monumentale, toute d'énergie morale, où Dieu, qui s'est fait homme, et ses disciples s'imposent sur terre par leurs miracles, l'œuvre de Piero naît de la contemplation esthétique d'un monde où la vie s'écoule avec tant de lenteur qu'elle semble appartenir à l'éternité et où vie et mort paraissent se fondre dans une existence supérieure.

Certes, la qualité morale n'est point absente de l'œuvre de Piero, mais elle n'apparaît pas à travers une action, ni à travers un acte de foi. C'est la manière d'être de cette œuvre qui est morale: chaque image est empreinte d'une austère dignité, elle est grave, sérieuse, impassible. Il s'agit moins de donner une représentation terrestre de Dieu que de peindre une humanité conçue au-delà de toute distinction de classe ou de lieu, une humanité fabuleuse se perdant dans la nuit des temps et dont Piero, tel un chantre épique, nous transmet la poésie d'une manière objective.

L'expression de Piero se différencie de l'action et de la foi par son ingénuité. La poésie jaillit de son œuvre, au-delà des connaissances scientifiques, spontanée et naturelle comme la fleur sur l'amandier. Contrastant avec la force de Masaccio, qui crée des héros divins descendus sur terre, la poésie de Piero devient presque populaire, tant elle est proche de l'homme pris dans son acception générale, sans spécification. On peut en effet appeler populaire l'amour de Piero pour les luxueux costumes d'Orient, les coiffures fantastiques et les armures de tournoi. En 1439, au Concile de Florence, Piero a certainement pu noter bien des éléments qu'il a introduits dans sa description de la réception de la reine de Saba par le roi Salomon ou dans celle de la bataille de l'empereur Constantin (fresques de l'église Saint-François à Arezzo).

Mais la conception même de ces représentations prouve que Piero a apporté le correctif que le peuple sait mettre à son goût de la parade et du luxe: l'ironie. Celle-ci apparaît dans tel détail des suivantes de la reine de Saba, des écuyers ou des hommes envoyés pour la restitution de la Croix. Elle révèle le détachement de l'artiste à l'égard du sujet traité et s'allie admirablement à l'abstraction géométrique des formes. En effet, ironie et abstraction sont comme un écran, si transparent soit-il, entre l'artiste et la réalité. Pourtant, Piero sait être à sa manière un puissant réaliste. Il impose la vérité de ses images à travers cette abstraction formelle qui n'est autre qu'une représentation symbolique de l'ironie, mais qui a aussi une autre signification. Piero appartient à la « religion de l'homme »: il a foi dans la capacité de celui-ci — ce qui est la base de la civilisation de la Renaissance qui considère l'homme comme le centre de l'univers. Masaccio réalise cet idéal par la force et la pureté de sa conception. Piero aussi participe à cet idéal, mais le transforme en le rendant plus étendu et plus nuancé. Les images de Masaccio créent elles-mêmes, par leur propre force plastique, l'espace qui les contient; tandis que chez Piero, si l'espace enferme la représentation humaine, il prend aussi une valeur d'image en soi. De sorte que la qualité monumentale s'étend aussi bien à l'homme qu'à ce qui l'entoure. Moins concentrée que dans l'œuvre de Masaccio, l'expression monumentale de Piero della Francesca embrasse l'univers en l'humanisant et si son humanité est si calme, c'est qu'elle est comme cristallisée dans l'éternité.

Chacune de ses représentations architecturales est empreinte de vitalité parce qu'elle participe elle aussi de l'abstraction intellectuelle qui enveloppe l'image humaine; c'est ainsi que celle-ci devient architecture, et que l'architecture s'humanise.

On saisira mieux l'idéal de vie que révèlent les œuvres de Piero si on se rapporte aux idées des humanistes. Qu'il s'agisse de Coluccio Salutati ou de Leonardo Bruni, tous deux mettent en valeur la portée morale et religieuse des études humanistes, par opposition au détachement des stoïciens à l'égard de la vie sociale. « Ce qui importe, ce n'est nullement la contemplation statique et fermée, ni les théories aristotéliciennes de la vie, ni l'ascèse stoïque ou la vie conventuelle. Au contraire, les hommes sont appelés à agir sur le plan de la charité. Même si Bruni pose généralement le problème selon certaine tendance aristotélicienne, celle de l'Aristote éthique, l'esprit qui l'anime est nettement chrétien. C'est un christianisme qui oppose à l'idéal grec de la contemplation celui d'une volonté agissant pour le bien commun. » (E. Garin, *Umanesimo italiano*, 1952, p. 58). Partant, il est facile de comprendre que les exigences du monde contemplatif de Piero ne s'accordent pas avec l'humanisme italien à sa naissance tel que le conçoit Bruni et tel que l'univers de Masaccio l'illustre parfaitement.

Mais si l'on passe des conceptions de Bruni à celles de L. B. Alberti, on constate alors que la conception de la vie se modifie. Ce n'est pas que le sens moral y soit moins profond: si la « *virtù* » l'emporte sur la « *fortuna* », on entend par *virtù* la bonté, la force morale, la « sainte discipline de vivre ». Pourtant, Alberti ne se borne pas seulement à l'activité morale. Dans les *Disputationes Camaldulenses* de Cristoforo Landino, Alberti apparaît comme le défenseur de la valeur contemplative de l'art, à l'encontre de Laurent de Médicis qui considérait les arts comme devant donner du bien-être et du confort au peuple. Quand Alberti dirige sa pensée vers le ciel, il reconnaît Dieu dans la beauté des choses bien plus que dans leur utilité. Il élargit donc le champ de la vie morale, telle que Bruni la concevait. L'activité humaine n'est pas contraire à la contemplation par laquelle on atteint à la connaissance de Dieu. La vie morale trouve sa source dans la vie sociale, dans la famille; l'art aussi a sa base dans la connaissance de l'homme et non dans une émanation de Dieu, ainsi qu'on le pensait depuis Plotin. Mais l'art va au-delà de la connaissance de l'homme et il atteint celle de Dieu.

L'idéal d'Alberti n'a pas la cohérence et l'intensité de celui de l'humanisme à ses débuts, mais il est plus vaste; il trouve un accord entre action et contemplation; il embrasse l'univers entier. Ainsi il répond pleinement à cet idéal d'abstraction monumentale qui nous est révélé par les formes et les couleurs sereines de Piero della Francesca.

LA VISION ET LA CONNAISSANCE

S'il y eut dans l'histoire une époque où la création artistique put coïncider avec les recherches scientifiques, ce fut bien au xve siècle, à Florence. Peindre pour représenter signifiait alors peindre pour connaître avant tout l'homme et la nature et leurs rapports réciproques. C'est parce que les Florentins du Quattrocento donnaient à l'art la valeur d'une science qu'ils purent libérer la peinture de la condition d'art artisanal qui était la sienne au moyen âge. Les Florentins ne pouvaient concevoir une autre connaissance que la connaissance scientifique, mais, fort heureusement pour l'art, ils n'ont pas seulement basé leurs recherches sur la pensée logico-mathématique; bien au contraire, considérant cette pensée comme une conclusion, une définition de leur travail, ils laissèrent toute liberté à l'imagination créatrice.

Piero della Francesca a écrit deux traités, un sur la perspective et l'autre sur les cinq corps réguliers. Son dessein est purement mathématique, c'est-à-dire qu'il écarte tout ce qui appartient au monde psycho-physique. Il définit ainsi la peinture : « La peinture n'est qu'une démonstration de surfaces et de corps devenant toujours plus petits ou plus grands suivant leur *terme* », et « terme » veut dire ici la distance des corps par rapport au spectateur. C'est à la fin de sa vie que Piero a donné cette définition alors que, déjà vieux, il repensait à ses propres expériences et voulait les transmettre à la postérité. Mais sa peinture n'est jamais l'application stricte d'une règle préétablie ; elle suit une loi que l'artiste lui-même ignore et qu'il crée à mesure qu'il compose son œuvre.

Quand, au commencement du XVe siècle, Brunelleschi donna aux peintres une règle de perspective — règle établie mathématiquement et non plus prouvée de manière empirique — il révéla en même temps au monde l'idée de l'espace homogène, abstraction faite de toute matière.

L. B. Alberti, dans son traité sur la peinture, écrit en 1435 et dédié à Brunelleschi, donne à la perspective le rôle de retrouver dans les racines mêmes de la vie l'essence de la peinture. On croyait donc que la connaissance de la réalité devait résulter non plus d'une révélation de Dieu, comme au moyen âge, mais d'une étude perspective de la nature.

Piero della Francesca a été un géomètre et, dans ses écrits, il a étudié plus rigoureusement la perspective que L. B. Alberti. C'était là la conclusion théorique de son expérience de peintre et il ne s'est point attardé à faire des théories sur les autres éléments de la peinture. Mais, en tant que peintre, il s'était largement intéressé à tous les problèmes. Il serait faux de penser qu'il réussit à créer son art en appliquant seulement ses calculs mathématiques. Il est vrai pourtant que l'idéal de vie que nous avons essayé de définir plus haut, et qui naturellement n'est qu'une manière de sentir, correspond parfaitement à son idéal pictural et à ses conceptions de formes géométriques.

Dans la peinture de Piero, bien des thèmes *aspirent* à se transformer en figures géométriques — et nous soulignons le terme « aspirer » parce que là est le secret de l'art de Piero. Si son monde d'images garde en effet sa pleine vitalité, c'est qu'il le maintient en deçà de la géométrie, comme si celle-ci était un but qu'il ne fallait point atteindre pleinement. Prenons par exemple le second ange et l'arbre dans le *Baptême du Christ* (Londres, National Gallery). Ces deux figures tendent à se transformer en colonnes cylindriques, acquérant ainsi une mystérieuse dignité mais elles restent très visiblement ange et arbre. Et même, pourrions-nous ajouter, leur allure géométrique confirme leur réalité.

Platon affirmait que la beauté absolue se trouvait seulement dans les figures géométriques. Piero est du même avis. La beauté des suivantes de la reine de Saba, dans les fresques d'Arezzo, est due pour une bonne part à leur forme cylindrique. Dans *L'Invention de la Croix*, ce n'est pas la perspective qui donne sa beauté à la vision de la ville, puisque les maisons sont encore superposées selon la conception moyenâgeuse. Mais la forme simple et abstraite (sans compter la lumière) confère au paysage toute sa valeur poétique. Rappelons encore les deux paysages peints au verso des portraits des époux Montefeltro (Florence, Offices). Le charme irrésistible qui s'en dégage est dû au rythme dispersé de la disposition des collines qui ne sont, en vérité, que des cônes aux bases élargies.

L'aspiration à la régularité géométrique est bien plus fortement exprimée dans le monde pictural de Piero della Francesca que dans celui de tout autre artiste du Quattrocento et elle découle directement de son idéal de monumentalité. La perspective crée l'espace, qui est mis en rapport avec la figure humaine. Quand celle-ci s'oppose à l'espace, elle apparaît gigantesque, comme dans les fresques de Masaccio à la Chapelle Brancacci. Mais cette conception donnait à la perspective un rôle qui, tout en la rendant nécessaire, était néanmoins secondaire, l'attention entière étant en fait concentrée sur la représentation de l'image humaine.

Piero della Francesca ressentait trop fortement la valeur de la représentation perspective pour ne point la considérer comme un élément primordial. Toutefois, à une seule exception près, dont nous parlerons, il ne laisse jamais la perspective absorber entièrement l'image humaine: et cela est significatif. Les scènes se déroulent toujours *devant* l'espace créé par la perspective, et jamais *dans* cet espace, ou bien, la perspective s'insère dans les rapports entre les personnages d'une foule, donnant ainsi le sentiment de la profondeur de la masse, mais elle n'enferme jamais les figures. La raison d'une telle conception, qui peut paraître étrange chez un si grand passionné de perspective, se comprend aisément à la lumière de quelques exemples.

Tout d'abord, parlons de l'exception indiquée plus haut, c'est-à-dire de la partie gauche de *La Flagellation* (Urbino). Piero apporte un soin particulier à rendre la perspective et l'illusion est pleinement créée. Mais l'effet monumental vient complètement à manquer, justement à cause du vide de la perspective où se situent les personnages. Les gestes sont, sans doute, empreints de majesté et celui du flagellateur, par exemple, est certes digne d'une statue de héros. Mais pour que le sens monumental se dégage des images, il faut supprimer en esprit l'architecture (ou ne prendre en considération que le détail photographique). Alors les trois personnages de droite apparaissent dans toute leur grandeur, prenant rang parmi les plus hautes créations de Piero. Ceci n'est pas dû seulement à leur attitude ou à leur forme, mais aussi à la perspective de gauche. Nous comprenons alors ce que signifiait pour Piero la perspective au moment où il créait l'œuvre: c'était une beauté en soi.

Le tableau d'Urbino se divise en deux scènes : la perspective (le récit de la flagellation n'est plus qu'un souvenir lointain) et le groupe des trois personnages. Il n'y a aucune différence de portée artistique entre l'une ou l'autre partie; elles se rejoignent dans leur commune signification d'images. Ce qui explique que des artistes de l'entourage de Piero aient pu peindre trois tableaux ne représentant que des perspectives de maisons (Musées de Berlin, Urbino, Baltimore). Il s'agit d'une conception unique dans tout l'art du Quattrocento : conception caractéristique de Piero.

Dans *La visite de la reine de Saba au roi Salomon*, le rapport entre la vision perspective et la composition des figures humaines est évident et ressort d'une manière spontanée et non plus exceptionnelle comme dans *La Flagellation*. On a fait observer que l'artiste place son point visuel très bas de manière à prolonger outre mesure « la partie inférieure des corps, ce qui leur donne plus de majesté; ... dans les registres inférieurs, il donne beaucoup d'importance à la distribution dense des figures, accentuant ainsi l'effet constructif de l'ensemble, tandis que dans la partie supérieure, les distances se raccourcissent » (Nicco Fasola : Commentaires à P. della Francesca, *De perspectiva pingendi*, p. 51). En d'autres termes, l'espace fuit au loin pour mieux faire ressortir l'image humaine du premier plan, ce qui est visible aussi dans la partie de droite de la fresque, là pourtant où l'artiste a représenté une salle qui aurait dû en réalité contenir les figures. Cet espace n'est pas conçu pour réaliser une vision d'ensemble, mais pour illustrer le récit, et les personnages sont à nouveau placés au premier plan, comme si l'espace n'était pas créé. La grande colonne du centre n'est nullement destinée à indiquer l'aire de la salle; elle sert au contraire à diviser la scène en deux, comme si elle était placée en avant du premier plan.

Dans *La Résurrection* (Borgo San Sepolcro), Piero se libère également d'une trop stricte obéissance aux lois de la perspective. Tandis que le tombeau, les soldats et la jambe du Christ forment une vision perspective, le visage du Christ s'avance au premier plan pour mieux révéler sa puissance de thaumaturge: exemple marquant du pouvoir d'expression dramatique de Piero (Nicco Fasola, loc. cit.).

En interprétant l'art de Piero, on a peut-être exagéré la portée de la perspective; en vérité, elle aussi se plie aux exigences de la création artistique. A la fin de sa vie, quand il aime à construire des théories sur la perspective et sur la régularité des corps, Piero peint des œuvres où il applique ses idées avec rigueur; mais ce ne sont pas là ses meilleures créations, ou alors leur valeur ne dépend pas de l'application exacte de ses principes.

Nous devons noter en outre l'aspect symbolique de la conception géométrique de Piero. Il n'est pas possible de représenter une action quand on donne aux images des formes géométriques. La tension dramatique était si grande chez Masaccio qu'elle révélait par l'énergie de la forme la puissance de l'action, même si les personnages étaient immobiles. Mais la tension est contraire à l'idéal géométrique. C'est ainsi que, par sa volonté de connaissance, Piero s'arrête à la contemplation et renonce à l'action. L'esprit contemplatif est symbolique par définition.

Entre une Madone de Piero et une Madone byzantine (Torcello ou Murano), il y a l'écart d'une civilisation, c'est-à-dire la perspective, la plastique, etc. Pourtant, il existe entre elles une affinité: leur caractère contemplatif, le fait de « présenter l'image » plutôt que de représenter l'action. Si par ailleurs on songe aux tendances de l'art italien de la seconde moitié du xve siècle, c'est Antonio Pollaiolo ou Léonard de Vinci qui apparaissent comme les promoteurs du goût nouveau, et non Piero della Francesca. On se rend compte alors du dualisme qui existe chez lui entre la certitude scientifique et la liberté créatrice. Il synthétise ces deux éléments. Il embrasse et traduit dans une perfection formelle aussi bien la vision symbolique du moyen âge que la représentation objective de l'époque moderne.

« Il n'est pas douteux, écrit M. Roberto Longhi (*Piero della Francesca*, p. 49), que les fresques d'Arezzo produisent chez l'observateur une joie avant tout chromatique. Jamais je ne franchis le seuil de Saint-François sans éprouver de nouveau ce choc que je ressentis la première fois à la vue de la « muraille sacrée » aux tons verts et roses, bruns et blancs, aussi purs que ceux qui colorent les prés, les joues des enfants ou les sources claires... C'est Piero qui nous a révélé l'image du monde touché par le premier rayon de soleil. »

La couleur en effet est dictée à Piero par sa sensibilité ; elle est pour lui le premier pas vers la découverte du monde. Son idéal d'une réalisation monumentale, ses recherches scientifiques ou ses calculs géométriques viennent après. La couleur est « la vérité première », le fait même de son ingénuité : elle est une création spontanée, la raison essentielle de sa grandeur d'artiste. Mais si ingénue et si spontanée soit-elle, elle reste néanmoins très complexe.

Le milieu artistique où Piero passa ses années de jeunesse — Borgo San Sepolcro comme Arezzo — était nettement empreint du goût siennois : riche d'expériences dans le domaine de la couleur, il ignorait néanmoins, dans celui de la forme, les dernières découvertes des Florentins. Le destin voulut que Piero vînt à Florence, qu'il regardât Masaccio et se trouvât ainsi placé à l'avant-garde de l'art. On sait qu'en 1439, il travaillait dans la *bottega* de Domenico Veneziano, Vénitien d'origine, devenu Florentin d'adoption ; cet artiste, de valeur incontestable, avait été élevé dans la tradition du gothique, comme d'ailleurs les peintres siennois.

Le style gothique, même durant sa dernière phase, se caractérise par la recherche d'accords entre les différentes qualités de rouges, de verts et de bleus. Certes, il existe parfois des passages de lumière et d'ombre, mais ils sont toujours limités aux tons locaux. La composition dépend, non pas des contrastes lumineux, mais de la ligne et de la plastique. Même les Flamands du xve siècle, dont les recherches de tonalité locale étaient plus raffinées que celles des peintres florentins, n'ordonnèrent jamais leur composition d'après la lumière et l'ombre. Une telle organisation sera la découverte des Vénitiens du xvie siècle.

Toutefois, l'évolution de la couleur chez les peintres florentins de la première moitié du Quattrocento n'est pas facile à déterminer. Ceux-ci, en effet, montrent une connaissance du clair-obscur leur servant à modeler la forme beaucoup plus complète que tout artiste de tradition gothique.

Il n'est pas aisé pour nous de comprendre la couleur de Masaccio. Il est vrai que celui-ci est l'inventeur de ce clair-obscur plastique qui est à la base de la vision picturale de tout le xve siècle florentin. Mais a-t-il su tirer toutes les conséquences chromatiques de ce clair-obscur? Le mauvais état de conservation des fresques de la Chapelle Brancacci nous empêche de le savoir. Certes, l'effet « luministe » est prodigieux dans l'Enfant Jésus de la *Madone de Pise* (Londres, National Gallery), mais ce n'est là qu'un exemple et nous ne pouvons en déduire que tel ait été le procédé habituel de Masaccio.

Avant de devenir Florentin, Domenico Veneziano reçut probablement une éducation de style gothique septentrional, proche de l'art de Pisanello; il apporte ainsi à Florence une expérience particulièrement raffinée de l'emploi du ton local: c'est là l'origine de la conception de Piero, selon laquelle les zones lumineuses sont nettement séparées des zones d'ombre et les contrastes servent à leur donner plus d'éclat. Au lieu de nuancer une seule couleur par le clair-obscur, Domenico Veneziano, aussi bien que Piero, utilisent deux couleurs différentes, une pour la lumière et l'autre pour l'ombre. Or on sait que, même ainsi réalisé et atténué par la couleur, le clair-obscur ne perd jamais son caractère original, basé sur le rapport du blanc et du noir, qui ne sont pas des couleurs. L'effet de lumière et ombre est beaucoup plus riche et complexe chez Piero que chez Domenico Veneziano, mais il reste le même dans son essence.

Toutefois, il ne suffit pas de rappeler le clair-obscur de Masaccio ou les recherches chromatiques de Domenico Veneziano pour expliquer entièrement la lumière de Piero. De sa matière colorée surgit une sorte de puissance lumineuse, intense, accentuée, maîtrisant toutes les nuances allant jusqu'à l'ombre. Si nous voulions faire une métaphore, nous dirions que Piero avait le « secret » de la lumière-matière, secret qui lui a peut-être été suggéré par Fra Angelico. La couleur paradisiaque des tableaux d'autel de ce dernier se transforma sous le pinceau de Piero en coloris-lumière.

M. Roberto Longhi définit la couleur de Piero comme celle du jour, celle même du plein midi, mais Henri Focillon a déjà fait remarquer qu'elle ne peut en aucun cas être identifiée à une heure de notre cadran, car elle est immuable. Et nous voudrions ajouter que couleur et lumière prennent une valeur de légende; elles nous transportent en un monde inconnu dans lequel notre fantaisie aurait toute liberté, où la vivacité d'un blanc serait douée de quelque pouvoir magique, où un rose et un bleu pâle exprimeraient toute la tendresse que la lumière porte aux choses de ce monde.

Piero ne désirait nullement éclairer par la lumière du jour une scène historique. Il voulait que sa couleur dise toute la délicatesse et la tendresse de ses sentiments en accord avec la gravité solennelle de sa forme. On ne peut en effet nier que sa sensibilité si aiguë de la couleur-lumière n'ait eu aussi des répercussions sur sa conception plastique. Regardons par exemple le nu qui est au premier plan de *La mort d'Adam* (Arezzo), corps magnifique aux formes ramassées et sensuelles, à l'attitude si naturelle; comparons-le ensuite au corps plus grêle, à l'anatomie plus étudiée du Christ se baignant dans le Jourdain (*Le Baptême*, Londres). Lorsque Corot exposa pour la première fois un nu, les élèves d'Ingres firent la remarque que sa conception du nu était une conception « paysagiste », et l'on pourrait en dire autant pour Piero. Sa sensibilité de coloriste le porte à envelopper le nu de telle manière qu'il semble modelé par l'atmosphère et non par sa construction anatomique. Il est inutile d'insister sur la différence qui sépare la conception de Piero de celle qui nous est révélée dans les nus « anatomiques » de Pollaiolo.

Cette sensibilité au monde de la couleur nous explique aussi l'attachement de Piero pour les motifs héraldiques. Le profil de la reine de Saba, celui de Sigismond Malatesta ou des époux Montefeltro, les deux chiens — l'un blanc et l'autre noir — dans la fresque de Rimini, le rythme des lances, des drapeaux, des jambes des chevaux, tous ces motifs, et d'autres encore, révèlent combien Piero s'inspire de l'héraldique. Enfin, le rythme particulier de sa composition, marqué de césures, dérive aussi de sa conception de la couleur. Même si la scène ne comporte qu'un seul sujet et que l'espace qui l'enferme n'a aucune raison d'être divisé, même alors, Piero interrompt le récit et répartit la surface en deux zones. Cette manière de concevoir le déroulement des images se rattache encore à la tradition moyenâgeuse, qui séparait les zones de couleurs pour obtenir une plus grande clarté dans la représentation. Manière que Piero emploie alors même qu'il crée l'unité d'espace, comme dans *Héraclius restituant la Croix à Jérusalem* ou encore dans *La victoire de Constantin*. Il s'agit, dans cette dernière fresque, d'une scène de bataille, mais les deux empereurs et les deux armées occupent des places nettement séparées qui ne sont reliées que par la petite croix blanche, signe miraculeux. *La bataille d'Héraclius* fait exception à ce que nous venons de dire, et malgré les qualités remarquables de cette fresque, il est incontestable que le sujet prend une trop grande importance pour l'harmonie générale de la composition.

Nous pouvons conclure que c'est bien grâce à sa sensibilité chromatique que Piero, ne s'attachant pas seulement à la représentation de la figure humaine, sait imprimer sa propre vitalité et son humanité aux vides et aux pleins, aux architectures, au ciel et à la terre.

DOCUMENTS BIOGRAPHIQUES

LES RENSEIGNEMENTS de source sûre qui nous sont parvenus sur la vie de Piero sont fort rares. S'il fut certes reconnu comme un grand artiste par ses contemporains et s'il fut l'hôte de cours brillantes comme celles de Ferrare, de Rimini, d'Urbino ou de la Rome papale, il semble pourtant que son succès était dû davantage à ses recherches de perspective et à ses études de géométrie qu'à son talent de peintre. Lorsqu'il vint à Florence, cette ville connaissait une époque de grandeur et d'expansion artistiques; mais il était jeune et élève de Domenico Veneziano, et personne ne le remarqua. Par ailleurs, il passa une grande partie de sa vie à Borgo San Sepolcro, sa ville natale, et à Arezzo, cité voisine.

C'était un artiste lent dans l'exécution de ses œuvres. Le *Polyptyque de la Miséricorde*, qui lui avait été commandé en 1445, ne fut terminé que peu avant 1462. En 1454 il s'engagea à peindre en huit ans un retable pour l'église Saint-Augustin de Borgo; malgré ce délai considérable, il ne termina cette œuvre qu'en 1469. D'autre part, nous savons qu'il employait plusieurs aides, ce qui est encore une preuve de sa lenteur. C'est là un trait caractéristique qui peut être interprété du point de vue psychologique comme la marque d'une sorte de détachement de l'artiste à l'égard de sa propre œuvre.

Il s'occupa de l'administration de Borgo San Sepolcro et s'il participa ainsi à la vie politique et sociale de son pays, il se trouva à l'écart des grands centres de l'art; c'était certes là une condition très heureuse pour créer librement, mais moins propice pour assurer une renommée. Et il est vrai que la gloire de Piero est plus grande aujourd'hui qu'elle ne le fut en son temps.

Dans l'impossibilité de reconstituer une véritable biographie de Piero, nous nous bornerons à rappeler les faits prouvés par les documents.

1410-1420. C'est à cette époque que l'on situe la naissance, à Borgo San Sepolcro, de Piero, fils de Benedetto de' Franceschi et de Romana di Perino de Monterchi. Nous ne savons pas pourquoi il fut appelé *della* (de la) Francesca plutôt que *dei* (des) Franceschi, mais comme un document de 1462 le nomme *della Francesca*, on préfère maintenir la forme populaire, contemporaine de l'artiste.

1439, 7 septembre. Première mention de *Pietro di Benedetto dal Borgo*, travaillant à Florence dans la *bottega* de Domenico Veneziano, qui peignait alors le chœur de San Egidio.

1442. Nommé conseiller du peuple à Borgo San Sepolcro.

1445, 11 janvier. La Confrérie de la Miséricorde à Borgo lui demande un retable, devant être terminé en trois ans (on identifie cette peinture au polyptyque qui se trouve aujourd'hui au Palais communal de Borgo). La Confrérie stipule que l'œuvre devait être exécutée sans aides. En 1462, elle fait un paiement à Marco di Benedetto « pour un tableau qu'a peint M. Pietro, son frère ». Il s'agit probablement de la même œuvre.

1448-1450. Piero est à Ferrare où, selon Vasari, il exécute des fresques au Palais. Ce renseignement est confirmé par l'existence de certains reflets de son art qui sont perceptibles dans la peinture ferraraise. Des imitations de sa peinture se retrouvent dans les enluminures locales, comme dans la Bible de Borso d'Este (Bibliothèque Estense, Modène) dont les miniatures furent exécutées entre 1455 et 1461, ou encore dans d'autres codex de la bibliothèque de Cesena, dont la fondation se situe entre 1447 et 1450 (cf. M. Salmi, « La Bibbia di Borso d'Este e Piero della Francesca », dans *Rinascita*, juillet-septembre 1943, pp. 365 ss.).

1451. C'est à cette date que Piero sign ela fresque du *Tempio Malatestiano* de Rimini, représentant Sigismondo Pandolfo Malatesta aux pieds de saint Sigismond.

1454, 4 octobre. Piero reçoit une commande pour l'église des Frères de Saint-Augustin, à Borgo San Sepolcro, qu'il s'engage à livrer dans un délai de huit ans. Le 14 novembre 1469, il reçoit la somme convenue pour cette œuvre, sans doute terminée à cette date seulement.

1459, 12 avril. Il travaille à Rome et est payé «pour une partie d'un travail de peinture exécuté dans la salle de Sa Sainteté Notre Seigneur le Pape». Cette œuvre a été entièrement perdue et il n'en reste aucune trace.

1466, 20 décembre. Pour la Compagnie de l'*Annunziata* à Arezzo, il peint un étendard représentant l'Annonciation. Œuvre perdue également.

1466. Dans le même document, la Compagnie rappelle que Piero « a peint la *chupola* majeure de Saint-François d'Arezzo ». Il est évident que le mot *chupola* (coupole) est une erreur et qu'il faut lire *chapela* (chapelle). Nous savons donc qu'en 1466 la chapelle majeure de Saint-François était entièrement décorée, et c'est la seule date certaine concernant ces fresques. Mais nous savons par ailleurs qu'en 1447 la famille Bacci avait commandé la décoration de cette chapelle à Bicci di Lorenzo, qui, après en avoir peint la voûte, mourut en 1452. Nous pouvons donc dire que Piero a travaillé à Saint-François entre 1452 et 1466. Toute autre hypothèse que l'on pourrait émettre à ce propos ne peut s'appuyer sur aucun fait certain. On peut supposer néanmoins que ces fresques ont été interrompues à l'occasion des travaux de Piero à Rome et reprises par la suite.

1466. En 1466, l'humaniste Ferabò de Vérone rappelle à Frédéric de Montefeltro un portrait que lui avait fait Piero della Francesca. Ferabò était à Urbino en 1465, ce qui laisse supposer que ce portrait du duc fut exécuté à cette date ou peu avant. Nous ne connaissons pas ce tableau et on ne peut pas l'identifier à celui qui se trouve aux Offices. En effet, celui-ci fait partie d'un diptyque, dont un des panneaux représente Battista Sforza, femme de Frédéric, qui vécut de 1446 à 1472. L'inscription au bas du tableau nous apprend qu'elle était morte lorsque le portrait fut exécuté. Le diptyque est donc postérieur à 1472.

En 1469, Piero fut l'hôte à Urbino de Giovanni Santi, père de Raphaël; il était en pourparlers pour une peinture dont on ne sait si elle fut exécutée.

Enfin, c'est après 1482 que Piero dédie à Guidobaldo de Montefeltro son traité *De Quinque Corporibus Regularibus*. Dans sa dédicace, il rappelle à Guidobaldo que c'est à Frédéric, son père, qu'il avait donné le meilleur de son art, et qu'au moment de dédier ce livre, il se sent très vieux.

Les deux seules œuvres qui nous restent comme témoignages de son activité à Urbino sont *La Flagellation* et le retable, actuellement à la Pinacothèque Brera, provenant de l'église Saint-Bernardin à Urbino. En étudiant le style de ces deux œuvres, on peut déduire, bien que l'évolution stylistique de Piero soit particulièrement difficile à établir, qu'il travailla à Urbino pendant très longtemps. En effet, il est probable que *La Flagellation* est antérieure aux fresques d'Arezzo, et que le retable de la Brera est une des dernières œuvres du peintre. Remarquons encore que c'est certainement à Urbino que Piero eut comme élève Bramante lui-même à qui il enseigna la perspective, ainsi que le rappelle Sabba di Castiglione en 1549.

1467. Piero est à Borgo San Sepolcro et s'occupe de l'administration de sa ville natale.

1468. Fuyant une épidémie de peste, il se réfugie à Bastia, près de Pérouse, où il peint l'étendard commandé deux ans auparavant par la compagnie de l'*Annunziata* d'Arezzo. Le trésorier de la Compagnie en prit possession le 7 novembre et transporta l'œuvre sur un char à Arezzo où elle fut louée et admirée.

1469. Il reçoit à Borgo San Sepolcro une somme en paiement de son retable de l'église Saint-Augustin.

1471. On le mentionne en défaut de paiement pour une taxe.

1474. Il est payé pour les fresques — aujourd'hui perdues — de la Chapelle de la Vierge à l'abbaye de San Sepolcro.

1478. Il peint, pour la Confrérie de la Miséricorde à Borgo, une fresque, aujourd'hui perdue, représentant la Vierge.

1480-1482. Il devient chef des prieurs de la Confrérie de Saint Bartholomé à Borgo San Sepolcro.

1482. Il loue une maison confortable à Rimini, où il doit exécuter un long travail. Quelques années après, il dédie à Guidobaldo, duc d'Urbino, ses traités de mathématiques et de perspective.

1487. Le testament qu'il fait à Borgo San Sepolcro le dit «sain de corps et d'esprit»; comme il comporte un passage autographe, on pense qu'à ce moment Piero n'était pas encore aveugle.

1492, 1er octobre. Il est enseveli à la *Badia* de Borgo San Sepolcro. Pendant les dernières années de sa vie, selon Vasari, Piero aurait été frappé de cécité. Son infirmité l'aurait obligé à se faire accompagner par un certain Marco di Longaro.

LES ŒUVRES

I

POLYPTYQUE DE LA MISÉRICORDE

LE BAPTÊME

SAINT JÉRÔME ET LE DONATEUR JÉRÔME AMADI

SAINT SIGISMOND VÉNÉRÉ PAR SIGISMOND MALATESTA

LA FLAGELLATION

POLYPTYQUE DE LA MISÉRICORDE

Borgo San Sepolcro, Palais communal

CETTE ŒUVRE est la première qui ait été commandée à Piero della Francesca. Il s'agit d'un polyptyque, à fond or, suivant la conception encore médiévale qui a été imposée à l'artiste par ses donateurs. De là le contraste apparent et inévitable entre l'effet plastique fortement accusé des images et le fond or qui, par ses reflets, s'oppose à toute plasticité. Ce désaccord est évident non seulement dans les détails mais surtout dans le panneau central représentant la Madone de la Miséricorde vénérée par deux groupes de fidèles agenouillés, les yeux levés : le manteau bleu de la Madone s'ouvre amplement, créant un espace où prennent place les dévots et qui contraste avec la surface dorée du fond. La Madone fait face au spectateur, hiératique, dans une attitude nettement médiévale, tandis que la force plastique qui la modèle en fait une image picturale appartenant au nouveau monde de la Renaissance.

La valeur de création de cette première œuvre réside dans l'effet plastique obtenu et dans la conception d'espace qu'elle révèle. Piero a su concilier ces éléments déjà purement renaissants avec des données médiévales encore très apparentes. Il trouve ainsi une synthèse entre forme et couleur, entre la vitalité plastique et cette vision contemplative qui est une des caractéristiques de son art.

La *Crucifixion*, qui occupe la partie supérieure du polyptyque, révèle un souci d'expression émotionnelle dont Piero semble par la suite s'écarter. Il n'atteindra jamais plus une aussi grande tension pathétique dans la représentation d'un drame.

◀ LA MADONE DE LA MISÉRICORDE, DÉTAIL - PARTIE CENTRALE DU POLYPTYQUE DE LA MISÉRICORDE. BORGO SAN SEPOLCRO, PALAIS COMMUNAL.

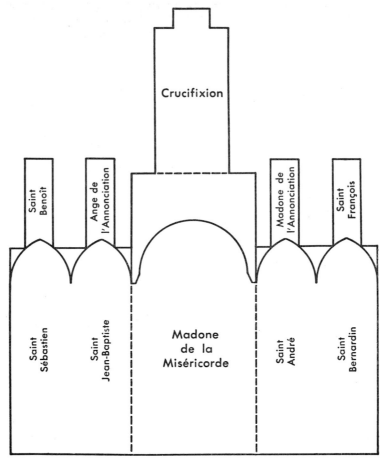

Crucifixion

Saint Benoît

Ange de l'Annonciation

Madone de l'Annonciation

Saint François

Saint Sébastien

Saint Jean-Baptiste

Madone de la Miséricorde

Saint André

Saint Bernardin

SCHÉMA DU POLYPTYQUE DE LA MISÉRICORDE - (H. 2,73; L. 3,23).
BORGO SAN SEPOLCRO, PALAIS COMMUNAL.

LA MADONE DE LA MISÉRICORDE - PARTIE CENTRALE DU POLYPTYQUE DE LA ▶
MISÉRICORDE. BORGO SAN SEPOLCRO, PALAIS COMMUNAL.

34

Ce chef-d'œuvre situe Piero parmi les plus grands continuateurs de l'art de Masaccio, dont la *Crucifixion* du polyptyque de Pise, peinte en 1426, pourrait être considérée comme le modèle idéal de celle de Piero.

Commandée le 11 janvier 1445 par la Confrérie de la Miséricorde de San Sepolcro (documents publiés par Milanesi dans *Il Buonarroti*, 1885, p. 116), cette œuvre ne fut probablement terminée que longtemps après le terme de trois années qui avait été fixé, comme le laisse supposer la somme versée en 1462 au frère du peintre, Marco (cf. Gronau dans *Repertorium für Kunstwissenschaft*, 1900, pp. 393 ss.).

D'autres faits permettent de suivre l'exécution de l'œuvre au point de vue chronologique; par exemple les figures de saint Bernardin et de saint André sont probablement postérieures à 1450, année de la canonisation de saint Bernardin. D'autre part, les petites figures de saints qui sont peintes dans les pilastres latéraux du polyptyque et dans les divers compartiments de la prédelle furent certainement exécutées par un des aides de Piero della Francesca que M. Mario Salmi croit pouvoir identifier au peintre et enlumineur Giuliano Amedei (*Rivista d'Arte* 1942, pp. 26-44).

Vasari mentionne ce retable, mais par erreur il en parle comme d'une fresque. En 1807, la Confrérie fut dissoute et les différentes parties du polyptyque dispersées; mais quelque temps après, en 1892, elles furent à nouveau rassemblées à l'occasion du quatrième centenaire de la mort du peintre (voir *Arte & Storia* 1892, p. 232) et placées à l'église de San Rocco, nouveau siège de la Compagnie.

Les conditions de conservation de cette œuvre sont fort mauvaises.

◄   CRUCIFIXION - PARTIE SUPÉRIEURE DU POLYPTYQUE DE LA MISÉRICORDE. BORGO SAN SEPOLCRO, PALAIS COMMUNAL.

LE BAPTÊME

Londres, National Gallery

AUCUN RENSEIGNEMENT ne peut nous aider à fixer la date de cette peinture, mais de toute évidence, il s'agit d'une œuvre de jeunesse.

La représentation du paysage est nécessaire à Piero. Son art y trouve en effet matière à s'épanouir librement. En vérité, le charme qui se dégage du *Baptême* est immense. L'artiste semble y chanter sa confiance dans l'architecture terrestre, la jeunesse éternelle, glorifier l'éclat d'une rose, la beauté des anges ou d'un arbre, magnifier la dignité du Christ et de saint Jean, la chasteté du nu, la pureté de l'air et de la terre. C'est d'un art si spontané que l'on serait porté à croire que le peintre découvrit les couleurs au moment même où il peignit ce tableau. La juxtaposition des zones de couleur a ici le rôle de mettre en opposition lumières et ombres, ces lumières imaginaires dont nous avons déjà parlé, si pures et si délicates.

Ce tableau provient de la cathédrale de San Sepolcro où il fut laissé par la Confrérie de saint Jean-Baptiste, après sa dissolution. En 1859, il fut acheté au chapitre par l'antiquaire Robinson, puis passa entre les mains d'Uzielli; enfin, en 1861, il fut acheté par la National Gallery de Londres.

Nous ne possédons aucun document relatif à cette œuvre. Il semblerait qu'elle devait faire partie d'un triptyque dont les deux côtés, attribués au peintre Matteo di Giovanni, ne sont pas en accord avec le style et les dimensions de l'œuvre de Piero.

L'état de conservation de cette peinture est assez bon.

LE BAPTÊME - (H. 1,67; L. 1,16). LONDRES, NATIONAL GALLERY. ▶

PAGE 38, IDEM: DÉTAIL DES ANGES.

PAGE 39, IDEM: DÉTAIL DU PAYSAGE.

PdF 7

SAINT JÉRÔME ET LE DONATEUR JÉRÔME AMADI - (H. 0,49; L. 0,42).
VENISE, GALERIE DE L'ACADÉMIE.

SAINT JÉRÔME
ET LE DONATEUR JÉRÔME AMADI

Venise, Galerie de l'Académie

Il s'agit encore d'une œuvre de jeunesse, mais dont le style, comparé à celui du *Baptême*, paraît plus évolué. Le paysage est un vaste espace ouvert, comme Piero le conçoit souvent; à droite se dresse un grand arbre, qui semble bien réel et solidement enraciné, et la pose légèrement transversale de saint Jérôme situe bien le personnage dans l'espace. La figure du donateur Jérôme Amadi, au contraire, est peinte avec une moins grande sûreté de moyens. L'artiste semble hésiter dans le rapport à trouver entre l'isolement de cette figure de profil et la profondeur de l'espace. On pourrait presque croire que la composition du tableau a été conçue sans le personnage d'Amadi.

De celui-ci, nous ne savons rien, sauf qu'il habitait la même maison qu'un seigneur vénitien qui commanda plusieurs tableaux à Nicolò di Pietro et à Gentile da Fabriano; ce qui porte à croire que Piero était en rapport avec Venise.

L'arbre porte l'inscription suivante: « PETRI DE BURGO SANCTI SEPULCRI OPUS », tandis qu'aux pieds du donateur on peut lire : « HIER. AMADI. AUG. F. ».

Aucun document ne nous renseigne sur ce tableau avant son entrée à la Galerie de Venise en 1850 (legs Hellmann-Renier).

SAINT SIGISMOND
VÉNÉRÉ PAR SIGISMOND MALATESTA
Rimini, Tempio Malatestiano

Piero a conçu cette fresque dans son style héraldique. Un détail suffirait à donner le ton de l'œuvre: le motif des deux chiens, l'un clair, l'autre foncé, qui opposent leurs silhouettes de profil. L'espace, qui n'est pas représenté en perspective, l'architecture, qui s'étend en surface, ainsi que les festons, sont autant d'éléments qui confirment l'intention de l'artiste. Comme le saint Jérôme du tableau de Venise, saint Sigismond a une position légèrement transversale de manière à occuper un espace s'accordant avec l'effet plastique. Par contre, le personnage de Malatesta, placé de profil, ne montre aucune des hésitations que l'on pouvait relever dans la figure d'Amadi; il est, matériellement et spirituellement parlant, le centre de toute la composition.

Nous pouvons penser que par ses richesses autant que par son caractère aristocratique, la cour des Malatesta fit une forte impression sur Piero. Encore imprégnée de l'esprit du moyen âge, elle sut tout à coup se mettre à l'avant-garde du goût renaissant avec des artistes comme Leon Battista Alberti et Piero della Francesca. Transformation qui apparaît d'une manière évidente si l'on étudie le *Tempio Malatestiano*, où sont mêlées aux fantaisies gothiques les recherches de la « divine proportion ».

Le goût de Piero pour l'héraldique, qui s'apparente encore au moyen âge, est vivifié par la finesse et l'élégance particulières à la Renaissance.

SAINT SIGISMOND VÉNÉRÉ PAR SIGISMOND MALATESTA - FRESQUE DATÉE DE 1451. RIMINI, TEMPIO MALATESTIANO.

PAGE 42, DÉTAIL: SAINT SIGISMOND, PARTIE GAUCHE.
PAGE 44, DÉTAIL: SIGISMOND MALATESTA, PARTIE CENTRALE.

Au bas de la fresque, on peut lire: « SANCTUS SIGISMUNDUS. SIGISMUNDUS PANDULFUS MALATESTA PAN. F. PETRI DE BURGO OPUS MCCCCLI ». Cette date, certaine bien que presque plus visible, se rapporte à la décoration du Temple et à la consécration de la Chapelle. L'inscription « CASTELLUM SISMUNDUM ARIMINENSE MCCCCXLVI » commémore la construction de la forteresse.

SAINT SIGISMOND VÉNÉRÉ PAR SIGISMOND MALATESTA.
FRESQUE DATÉE DE 1451. RIMINI, TEMPIO MALATESTIANO.

LA FLAGELLATION

Urbino, Galerie nationale

Toutes les tendances de l'art de Piero se trouvent synthétisées dans cette œuvre, qui semble être le programme idéal de l'artiste. L'unité entre perspective et couleur-lumière apparaît ici parfaite : les figures du premier plan sont conçues ton sur ton sur le fond d'architecture, de telle manière que celui-ci devient source de lumière. Les personnages ont un port et une pose qui les situent bien sur terre — l'un d'eux porte un riche manteau de velours brodé — tandis que la perspective laisse notre esprit errer dans le souvenir : dans le lointain apparaît la flagellation du Christ. Une puissance de suggestion poétique se dégage de cette œuvre ; elle réside justement dans cette manière de représenter le martyre comme un souvenir, dont l'éloignement rend plus intense encore la présence humaine. Dans cette œuvre, poésie et allégorie coïncident pleinement.

Une tradition locale veut que la scène représente Oddantonio de Montefeltro, comte d'Urbino, entouré par Manfredo de' Pii da Cesena et par Guido dell'Agnello, deux conseillers, que Sigismond Malatesta, cherchant sa perte, lui avait envoyés. Oddantonio, en effet, après avoir été ruiné par ses conseillers, fut assassiné en 1444. C'est alors que son demi-frère, Frédéric, prit le pouvoir, bien qu'il ait été accusé d'avoir participé à l'assassinat. *La Flagellation* de Piero serait donc un tableau votif, demandé par Frédéric pour honorer la mémoire d'Oddantonio ; celui-ci serait comparé au Christ lui-même entouré de deux conseillers qui ne sont autres que ses flagellateurs.

Cette interprétation a le ton d'une légende populaire, mais elle s'applique très bien à la scène représentée.

M. Kenneth Clark a récemment fait remarquer que ce tableau de Piero ne pouvait dater de 1444, ce qui en effet est fort juste :

LA FLAGELLATION - (H. 0,59; L. 0,81). URBINO, GALERIE NATIONALE.

PAGE 48, DÉTAIL: LA FLAGELLATION, PARTIE GAUCHE.

PAGE 49, DÉTAIL: TROIS PERSONNAGES, PARTIE DROITE.

mais on peut supposer que Frédéric aurait commandé cette œuvre bien plus tard, en souvenir des événements passés. S'appuyant sur sa remarque, M. Clark propose une autre interprétation de la scène. Selon lui, il s'agirait d'une allégorie montrant les souffrances de l'Eglise chrétienne après la chute

de Constantinople en 1453. Le tableau aurait été peint pour commémorer un des Conciles de l'époque, par exemple celui de 1459 qui eut lieu à Mantoue.

Quoi qu'il en soit, la légende populaire semble contenir une plus grande part de vérité qu'une pure spéculation historique ne pouvant se baser sur aucun fait certain.

Il ne nous reste aucun document sur ce tableau, sinon quelques citations d'anciens guides qui le mentionnent comme étant à la sacristie de la Cathédrale d'Urbino.

L'œuvre est signée: «OPUS PETRI DE BURGO SANCTI SEPULCRI». Selon une ancienne source, il existait aussi une autre inscription — aujourd'hui perdue — disant: « CONVENERUNT IN UNUM ». Elle devait certainement être placée sur le cadre, qui a disparu; on retrouve d'ailleurs cette inscription, qui se rapporte à la flagellation, sur certains codex enluminés.

II

FRESQUES
DE LA LÉGENDE DE LA CROIX

ÉGLISE SAINT-FRANÇOIS D'AREZZO

VUE DE LA CHAPELLE PENDANT NOS TRAVAUX DE PHOTOGRAPHIE.
AREZZO, ÉGLISE SAINT-FRANÇOIS.

Pour photographier les fresques de Piero della Francesca dans la chapelle de l'église Saint-François d'Arezzo, il a fallu dresser cet échafaudage de quinze mètres de hauteur. Ainsi les parties les plus lointaines du chef-d'œuvre, celles qui parfois s'estompent dans la hauteur et l'ombre, sont rapprochées du spectateur et deviennent aussi accessibles, aussi nettes dans leurs détails que l'artiste pouvait les voir en les peignant. Il y a un peu plus de 500 ans que Piero travaillait avec ses aides, perdus sur d'aussi fragiles constructions entre ciel et terre, à peupler les vastes surfaces de créatures spirituelles étrangement concrètes. On ne sait ce qu'il faut admirer le plus, de la rigoureuse ordonnance des scènes ou de la plénitude des figures prises isolément ou en groupe. Nous avons voulu par des photographies évoquer l'atmosphère qui se dégage de ces hautes murailles peintes. On y voit apparaître le parti de la construction qui étage, en un triple registre, sur la même assise de batailles, l'alternance des déroulements majestueux de personnages et de scènes animées fixées au sommet de l'expression. Dans cette architecture d'ensemble, le lecteur pourra aisément replacer les scènes essentielles et leurs détails majeurs reproduits en couleurs dans les pages suivantes.

PHOTOGRAPHIE DE LA CHAPELLE - PAROI GAUCHE DES FRESQUES.
AREZZO, ÉGLISE SAINT-FRANÇOIS.

PHOTOGRAPHIE DE LA CHAPELLE - PAROI DROITE DES FRESQUES.
AREZZO, ÉGLISE SAINT-FRANÇOIS.

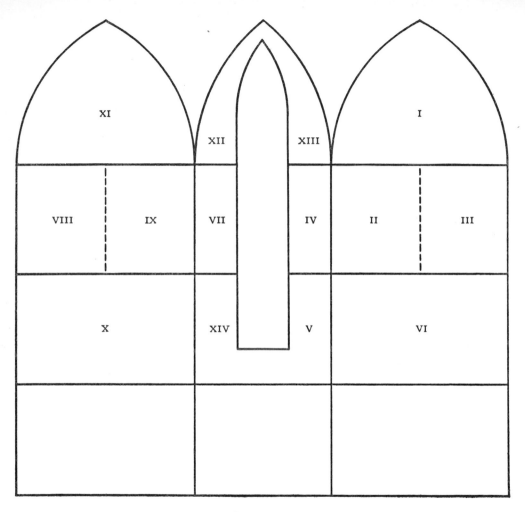

SCHÉMA DES FRESQUES
DE L'ÉGLISE SAINT-FRANÇOIS D'AREZZO.

EMPLACEMENT
DES DIFFÉRENTES SCÈNES

I
LA MORT D'ADAM

II-III
LA VISITE DE LA REINE DE SABA AU ROI SALOMON
LA RÉCEPTION DE LA REINE DE SABA CHEZ LE ROI SALOMON

IV
LE TRANSPORT DU BOIS DE LA CROIX

V
LE SONGE DE CONSTANTIN

VI
LA VICTOIRE DE CONSTANTIN SUR MAXENCE

VII
LA TORTURE DU JUIF

VIII-IX
L'INVENTION DE LA CROIX
LA PREUVE DE LA VRAIE CROIX

X
LA BATAILLE D'HÉRACLIUS CONTRE CHOSROÈS

XI
LA RESTITUTION DE LA CROIX A JÉRUSALEM

XII
PROPHÈTE

XIII
PROPHÈTE

XIV
L'ANNONCIATION

LA CHAPELLE D'AREZZO

Les fresques de l'église Saint-François à Arezzo, qui ont été exécutées, comme nous l'avons dit, entre 1452 et 1466, nous content *La Légende de la Croix*. Elles sont devenues aujourd'hui un but de pèlerinage pour tous les artistes et tous les amateurs d'art et constituent certainement l'œuvre magistrale de Piero della Francesca.

L'architecture gothique de l'église a posé un problème au peintre. Pour que sa vision nouvelle puisse s'y dérouler, Piero dut diviser l'espace mural en trois grands registres, tant sur les parois latérales de la chapelle que sur les étroits montants de chaque côté de la longue fenêtre. Ayant ainsi réparti les parois, il put les « ouvrir » en créant des étendues encadrées par des divisions peintes et formant comme autant de fenêtres donnant sur son monde d'images.

Sur les parois latérales, la division en trois grands registres s'accorde avec la représentation du récit.

Au premier registre sont évoquées deux batailles dont la composition par groupes serrés donne au spectateur l'impression de soutenir les étages supérieurs. Au second registre est illustré le récit de *La visite de la reine de Saba au roi Salomon* et, sur le mur d'en face, celui de *L'Invention de la Croix*; la construction en est moins dense et les figures semblent s'aligner le long du mur. Enfin, dans *La mort d'Adam* et *La restitution de la Croix à Jérusalem*, les deux scènes inscrites dans les lunettes au registre supérieur, le ciel domine, les figures sont rares, de manière à donner une illusion visuelle de légèreté. Cette progression montre de façon évidente l'intention de Piero de conférer à ses thèmes un rôle architectural.

De chaque côté de la fenêtre, il était difficile de réaliser une distribution aussi rigoureuse. A droite, *Le songe de Constantin* exigeait une vision « luministe » de la scène qui se prêtait mal

à contrebalancer la solidité architecturale de *L'Annonciation*,
se trouvant à gauche sur le même registre. Mais il faut dire aussi
qu'une telle rigueur de la disposition était moins nécessaire
ici à cause des dimensions restreintes de la surface à peindre,
qui permettait de représenter aisément le récit sans avoir recours
à une construction pareille à celle des murs latéraux.

Les fresques qui se trouvent sur la paroi de droite sont
celles qui sont le plus admirées par tout le monde. Dans la
lunette supérieure est illustrée *La mort d'Adam*. Le groupe des
figures réunies autour du mourant est une des plus belles compo-
sitions que l'on compte dans l'histoire de l'art. Son rythme,
allant au-delà d'une simple vision de pauses et de mouvements,
recrée le moment solennel et suprême de l'attente de la mort,
avec une tension intérieure qui n'a jamais recours aux moyens
de l'expression dramatique.

Au second registre sont retracées *La visite* et *La réception de la
reine de Saba chez le roi Salomon*. L'accord si parfait que l'artiste

LA MORT D'ADAM, DÉTAIL DE LA SCÈNE DE DROITE - LA LÉGENDE DE LA CROIX.
FRESQUE. AREZZO, ÉGLISE SAINT-FRANÇOIS.

a trouvé entre espace et surface, la beauté si pure des suivantes
de la reine au port altier et aux vêtements somptueux, la
noblesse des figures masculines, le pittoresque des amusantes
silhouettes des valets, d'autres éléments encore, font de cette
fresque un des chefs-d'œuvre de toute la chapelle.

LA MORT D'ADAM, DÉTAIL DE LA SCÈNE CENTRALE - LA LÉGENDE DE LA CROIX. ▶
FRESQUE. AREZZO, ÉGLISE SAINT-FRANÇOIS.

La victoire de Constantin occupe le premier registre de droite:
avec une habileté merveilleuse, Piero a su transposer ce sujet
de bataille en une vision de parade où la force rivalise avec la
beauté. Le volume des masses s'accorde avec le caractère
héraldique du récit, tandis que le tournoiement des étendards
trouve un écho dans la mêlée des jambes des chevaux.

LA MORT D'ADAM, DÉTAIL DE LA SCÈNE DE GAUCHE - LA LÉGENDE DE LA CROIX.
FRESQUE. AREZZO, ÉGLISE SAINT-FRANÇOIS.

La bataille d'Héraclius contre Chosroès et *L'Invention de la Croix*, au premier et au second registre de la paroi gauche, semblent avoir été conçues avec une moins grande liberté créatrice, mais présentent des détails souvent frappants d'énergie, malgré leur abstraction formelle. Dans la lunette supérieure, *La restitution de la Croix à Jérusalem* prend un aspect quelque peu anecdotique et ne révèle aucun élément qui ne soit déjà connu.

Sur les montants de la fenêtre, d'autres chefs-d'œuvre nous attendent. Le prophète, en haut à droite, est une des figures typiques dans l'art de Piero, où la stabilité physique sert à rendre plus évidente la stabilité morale, et réciproquement. Dans la première division à gauche, la Vierge de *L'Annonciation* a la stabilité d'une colonne, et de sa noblesse impassible émane une force majestueuse. Nous sommes loin de la timidité apeurée qui, pour tant de peintres, fut l'interprétation psychologique de la Vierge de l'Annonciation. La conception architecturale de l'âme humaine, si chère à Piero, est remarquablement réalisée dans cette figure. Enfin, *Le songe de Constantin* en bas à droite est le « thème nocturne » de Piero. La forme conique de la tente et le soubassement du lit confèrent une valeur architecturale à la lumière elle-même. Elle ne vibre pas, mais troue brusquement la nuit et prend un aspect fabuleux. Il est impossible de ne pas se sentir profondément ému devant cette œuvre, qui nous révèle toute l'étendue de la complexité du génie de Piero. Laissant de côté les discussions multiples suscitées par cette peinture, c'est — dirons-nous sans hésitation — une œuvre unique, sans précédent et sans suite dans l'art de *tous* les temps. Œuvre unique parce que son pouvoir de représentation est volontairement limité, tandis que se dégage, infinie, sa puissance de « présentation »; elle *est*, et son existence s'affirme à travers la lumière même, qui est conçue ici comme un corps solide: miracle que seul Piero pouvait accomplir. Il nous transporte ainsi dans le monde magique de la peinture.

LA VISITE DE LA REINE DE SABA AU ROI SALOMON
(Nº 2 DU SCHÉMA).
LA LÉGENDE DE LA CROIX - FRESQUE.
AREZZO, ÉGLISE SAINT-FRANÇOIS.

PAGE 66: LA VISITE DE LA REINE DE SABA AU ROI SALOMON,
DÉTAIL DES SUIVANTES - LA LÉGENDE DE LA CROIX - FRESQUE.
AREZZO, ÉGLISE SAINT-FRANÇOIS.

LA RÉCEPTION DE LA REINE DE SABA CHEZ LE ROI SALOMON
(N° 3 DU SCHÉMA)
LA LÉGENDE DE LA CROIX - FRESQUE.
AREZZO ÉGLISE SAINT-FRANÇOIS.

PAGE 67: LA RÉCEPTION DE LA REINE DE SABA CHEZ LE ROI SALOMON,
DÉTAIL DES SUIVANTES - LA LÉGENDE DE LA CROIX - FRESQUE.
AREZZO, ÉGLISE SAINT-FRANÇOIS.

Nous avons déjà parlé de la couleur dans l'art de Piero. Mais les fresques d'Arezzo nous permettent de préciser par quelques exemples le rapport existant entre qualité-couleur et lumière. Regardons *La visite de la reine de Saba au roi Salomon,* fresque dont l'état de conservation est assez bon. Dans le groupe des suivantes et de la reine de Saba à genoux, l'accord de tonalité est constitué par le rose (deuxième femme), le blanc et le rouge (première femme) et le bleu (la reine). Dans *La réception de la reine de Saba chez Salomon,* le premier personnage est en rouge, Salomon en blanc et bleu ciel, la reine de Saba en blanc, la première des suivantes en vert et la seconde en rose. Or, les peintres qui ont donné une grande importance au ton et à la lumière utilisent en général une gamme restreinte. Piero, au contraire, déploie toutes les couleurs du spectre. Il aime les accords de tons et veut que ses couleurs donnent à son art cet accent de tendresse printanière qu'il recherche. Enfin, il insère sa lumière dans l'accord des couleurs de manière à ce qu'elles prennent un aspect précieux, magique, mystérieux.

L'état de l'ensemble des fresques, qui furent restaurées en 1860 par Gaetano Bianchi, puis consolidées par Domenico Fiscali, est loin d'être excellent. Deux aquarelles exécutées par Antoine Rambaux (1790-1866) en 1816 et 1842, avant que les fresques ne fussent endommagées au XIXe siècle, donnent une idée de leur état sans les lacunes qu'elles présentent aujourd'hui. (Conservées à l'Académie de Düsseldorf, ces aquarelles ont été publiées par Warburg, dans les Actes du Xe congrès international d'Histoire de l'Art, Rome 1922, pp. 326-327).

LA RÉCEPTION DE LA REINE DE SABA CHEZ LE ROI SALOMON - LA LÉGENDE ▶
DE LA CROIX - FRESQUE. AREZZO, ÉGLISE SAINT-FRANÇOIS.

PAGE 69, DÉTAIL: LA REINE DE SABA ET LE ROI SALOMON.
PAGE 70, DÉTAIL: PERSONNAGES DE LA SUITE DU ROI SALOMON.
PAGE 71, DÉTAIL: PERSONNAGES DE LA SUITE DE LA REINE DE SABA.

69

LA LÉGENDE DE LA CROIX

Bien que la représentation n'ait pas une importance extrême dans l'art de Piero, nous résumerons néanmoins pour plus de clarté *La Légende de la Croix*, qui est le sujet de l'ensemble des fresques de Saint-François d'Arezzo.

Le thème iconographique de ce grand cycle de fresques provient de certaines légendes du moyen âge, dont une se trouve dans l'Evangile de Nicodème et les deux autres dans la Légende Dorée. Il n'existe pas de texte littéraire qui les réunisse, alors qu'en 1380 environ, Agnolo Gaddi en avait déjà donné une représentation picturale dans l'église de Santa Croce à Florence. *La Légende de la Croix* eut, dans les arts figuratifs, une importance particulière aussi bien au moyen âge qu'à la Renaissance.

A Saint-François d'Arezzo, le récit débute dans la lunette de la paroi de droite. Adam, très vieux, sentant diminuer ses forces et voyant sa mort approcher, prie son fils Seth d'aller demander l'huile de la Miséricorde à l'ange du Paradis terrestre, qui la lui avait promise longtemps auparavant (partie droite). L'ange donne à Seth un rameau de l'Arbre de Vie pour qu'il le plante dans la bouche d'Adam après sa mort (partie gauche). L'arbre pousse rapidement (centre) et à l'époque du roi David, son bois accomplit différents miracles. Puis il est jeté dans la piscine probatique, où il continue néanmoins à opérer des guérisons. Pour s'en débarrasser définitivement, les Juifs s'en servent comme pont sur un petit fleuve, le Siloé.

Quand la reine de Saba vient d'Orient à Jérusalem pour rencontrer le roi Salomon, elle arrive vers le pont et, connaissant la nature miraculeuse du bois, elle s'agenouille devant lui pour l'adorer. Puis, dans le palais du roi, devant Salomon et

LE SONGE DE CONSTANTIN (N° 5 DU SCHÉMA) - LA LÉGENDE DE LA CROIX. ▶
FRESQUE. AREZZO, ÉGLISE SAINT-FRANÇOIS.

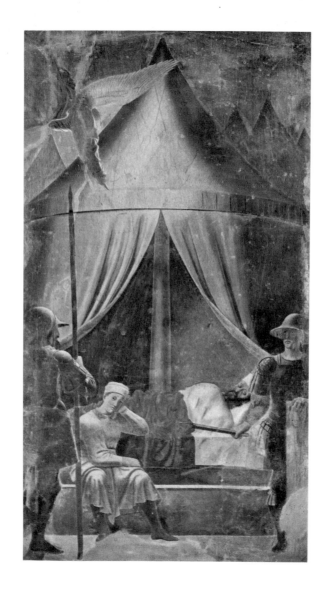

73

LA VICTOIRE DE CONSTANTIN SUR MAXENCE, PARTIE GAUCHE (N° 6 DU SCHÉMA).
LA LÉGENDE DE LA CROIX. FRESQUE. AREZZO, ÉGLISE SAINT-FRANÇOIS.

ses courtisans, elle prononce cette prophétie: « A cause de ce bois sacré, la terre tremblera, le soleil et la lune perdront leur clarté, le voile du temple s'ouvrira de haut en bas, beaucoup de corps saints ressusciteront et seront vus à Jérusalem. O Salomon! tu as pris un bien mauvais soin de ce bois vénérable et sacré. »

LA VICTOIRE DE CONSTANTIN SUR MAXENCE, DÉTAIL DU PAYSAGE.
FRESQUE - LA LÉGENDE DE LA CROIX. AREZZO, ÉGLISE SAINT-FRANÇOIS.

En effet, le bois de l'Arbre du Péché sera celui de la Croix du Calvaire du Christ, lors de sa mission terrestre (mission symbolisée peut-être par *L'Annonciation*, No 14). Quand les Juifs jugèrent le Christ coupable et le condamnèrent à la crucifixion, ils prirent le bois du pont sur le Siloé et l'amenèrent en grande hâte à Jérusalem (No 4); le sacrifice divin accompli, la Croix fut ensevelie et resta sous terre pendant plus de 200 ans, dans un endroit tenu secret.

Sous la conduite d'un tyran, Maxence, de grandes armées menaçaient Rome. L'empereur Constantin était très troublé, mais dans la nuit il fut réveillé par un ange. Levant les yeux, il vit une croix dans le ciel, toute blanche de lumière, sur laquelle il lut: « *In signo hoc confide et vinces* » (No 5). Réconforté par cette vision, l'empereur romain fit construire un emblème représentant la croix, telle qu'il l'avait vue la nuit, et la tenant à la main il se porta au-devant de ses troupes. Maxence, avec quelques hommes, vint à sa rencontre et arriva près du pont, mais là, Dieu l'arrêta et il fut obligé de s'enfuir. Constantin gagna la bataille sans que le sang eût été répandu.

Constantin se convertit alors au christianisme et, plein de dévotion, il envoya sa mère, sainte Hélène, à Jérusalem, à la recherche de la Sainte Croix. Arrivée dans la Ville Sainte, Hélène demanda que lui fût révélé l'endroit où se trouvait la Croix. Nul ne le savait sauf un Juif du nom de Judas, qui ne voulait point le dire car il pensait que ce serait la fin de sa religion. La reine le fit alors descendre au fond d'un puits sans eau, et le laissa là six jours sans nourriture. Le septième jour, Judas demanda à être remonté (No 7). Il conduisit alors Hélène au Calvaire où était ensevelie la Croix du Christ et celles des deux larrons.

◀ LA VICTOIRE DE CONSTANTIN SUR MAXENCE, DÉTAIL: TÊTE DE CONSTANTIN. FRESQUE - LA LÉGENDE DE LA CROIX. AREZZO, ÉGLISE SAINT-FRANÇOIS.

L'INVENTION DE LA CROIX (N° 8 DU SCHÉMA) - LA LÉGENDE DE LA CROIX.
FRESQUE. AREZZO, ÉGLISE SAINT-FRANÇOIS.

LA PREUVE DE LA VRAIE CROIX (N° 9 DU SCHÉMA), DÉTAIL DE DROITE. ▶
FRESQUE - LA LÉGENDE DE LA CROIX. AREZZO, ÉGLISE SAINT-FRANÇOIS.

Après qu'on eût détruit un temple qui se trouvait sur l'emplacement et qu'on eût labouré la terre, Judas se mit à creuser et l'on trouva les trois croix (N° 8). Mais comment reconnaître celle qui avait été consacrée par le Fils de l'Homme ?

L'INVENTION DE LA CROIX, DÉTAIL: LA VILLE DE JÉRUSALEM - LA LÉGENDE
DE LA CROIX - FRESQUE. AREZZO, ÉGLISE SAINT-FRANÇOIS.

Ce jour-là, dans la ville de Jérusalem, un jeune garçon venait
de mourir; sur sa tombe on inclina successivement les trois
croix: à la troisième, le jeune homme ressuscita (N° 9) et ce
miracle permit d'identifier sûrement la divine relique. Judas se
fit alors baptiser et il devint plus tard évêque de Jérusalem sous
le nom de Cyriaque.

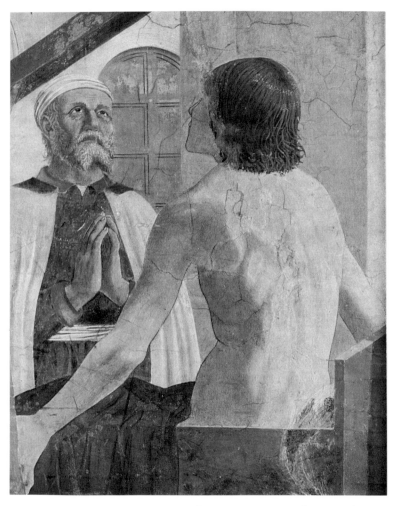

LA PREUVE DE LA VRAIE CROIX, DÉTAIL DU RESSUSCITÉ - LA LÉGENDE
DE LA CROIX - FRESQUE. AREZZO, ÉGLISE SAINT-FRANÇOIS.

En 615, le Christ, laissant flageller son peuple, permit que Chosroès, roi des Perses, fît siens tous les royaumes de la terre. Après avoir pris Jérusalem, Chosroès transporta la Croix sacrée dans son palais et s'enorgueillit d'en orner son trône (N° 10 à droite). L'empereur romain Héraclius, atterré par un tel sacrilège, réunit son armée et engagea une bataille contre Chosroès sur les rives du Danube (N° 10 à gauche et au centre). Battu, Chosroès fut décapité près de son trône. Déchaussé et sans couronne, Héraclius rapporta en triomphe à Jérusalem la Croix qui, par un autre miracle, rentra dans la ville par la même porte d'où elle était sortie, sur les épaules du Christ, le jour de la Passion (N° 11). De chaque côté de la longue fenêtre, se trouvent deux prophètes (N° 12 et N° 13).

LES FRESQUES D'AREZZO ET LA CRITIQUE

En raison de l'importance majeure du grand cycle de fresques de l'église Saint-François, c'est à Arezzo que l'on situe généralement le centre de l'activité de Piero della Francesca. Arezzo, comme Borgo San Sepolcro, la ville natale du peintre, se trouve dans la Toscane méridionale. Il serait donc inexact de placer Piero parmi les peintres de l'Ombrie. Du reste, son art n'offre rien de commun avec celui du Pérugin, l'artiste ombrien par excellence; il appartient en vérité à la grande tradition toscane.

Nous avons vu que si Piero n'a point eu de son vivant une renommée égale à celle des maîtres florentins, c'est qu'Arezzo, commune florissante au moyen âge, ne fut jamais un grand centre de culture. Certes, aujourd'hui, tous s'y arrêtent pour admirer à Saint-François les fresques de *La Légende de la Croix*.

LA BATAILLE D'HÉRACLIUS CONTRE CHOSROÈS (N° 10 DU SCHÉMA), DÉTAIL. ▶
FRESQUE. LA LÉGENDE DE LA CROIX - AREZZO, ÉGLISE SAINT-FRANÇOIS.

Cette église est devenue un pèlerinage artistique presque plus fréquenté que les *Stances* de Raphaël ou la Chapelle Sixtine de Michel-Ange. Mais jadis, il n'en était pas ainsi: on ne visitait pas les petites villes, on ne se rendait qu'à Florence et à Rome, là où l'œuvre de Piero ne pouvait pas être vue par tout le monde.

Si ses contemporains ont admiré Piero, c'est à cause de ses connaissances géométriques. Giorgio Vasari, né à Arezzo

LA BATAILLE D'HÉRACLIUS CONTRE CHOSROÈS, DÉTAILS - LA LÉGENDE DE LA CROIX - FRESQUE. AREZZO, ÉGLISE SAINT-FRANÇOIS.

dix-neuf ans après la mort du peintre et dont le père avait été un de ses élèves, en parle avec beaucoup d'admiration. Mais un silence quasi absolu se fait ensuite sur son art. Il n'est du reste pas étonnant qu'au XVIIᵉ et au XVIIIᵉ siècle, même si on connut sa peinture, on ne sut point la comprendre. Celle-ci était en effet fort éloignée des critères du goût du temps: elle ne tendait pas au beau idéal comme celle de Raphaël; elle ne se composait point selon le canon classique, et elle ne montrait

LA BATAILLE D'HÉRACLIUS CONTRE CHOSROÈS, DÉTAILS.
LA LÉGENDE DE LA CROIX - FRESQUE.
AREZZO, ÉGLISE SAINT-FRANÇOIS.

surtout aucune inclination pour ce mouvement baroque que l'on aimait tant. Au début du XIXe siècle, on commença à s'intéresser aux « primitifs », mais même alors l'art de Piero ne fut pas compris. Péremptoirement, le philologue et esthéticien allemand von Rumohr, dans ses *Italienische Forschungen* (1827-1832), déclare

LA RESTITUTION DE LA CROIX A JÉRUSALEM (N° II DU SCHÉMA), DÉTAILS.
FRESQUE - LA LÉGENDE DE LA CROIX. AREZZO, ÉGLISE SAINT-FRANÇOIS.

qu'il ne vaut pas la peine de s'en occuper. A cette époque, lorsqu'on parlait de « primitif », on songeait avant tout au Pérugin, ce qui nous aide à comprendre que l'art de Piero, si éloigné de toute « sensiblerie », n'avait aucune chance de plaire. Plus tard, les tenants du réalisme surent voir son énergie plastique, mais ils furent rebutés par son idéal géométrique.

Dès 1897, M. Berenson comprit que la grandeur de Piero résidait dans l'impassibilité de ses images qui apparaissent libé-rées de toute émotion, mais il pensait aussi que sa science de la perspective était parfois un obstacle aux réalisations de son art, et que de ce fait, ses œuvres n'atteignaient pas toujours la vraie beauté. Récemment, M. Berenson a publié un nouvel essai où il ne formule plus aucune réserve; il développe la notion d'impas-sibilité dans l'art de Piero, en marque l'importance jusqu'à donner une définition de l'art universel qui doit *être* et *exister* et non *représenter* et *exprimer*. Depuis le début de notre siècle, nom-breuses furent les études et les monographies consacrées au peintre. Parmi celles-ci, citons, en raison de son importance, celle de M. Roberto Longhi.

Il faut pourtant se rendre compte que les travaux de la critique n'ont pas suffi à susciter l'enthousiasme du public pour l'art de Piero, ou du moins ils n'y ont contribué que d'une manière limitée. En fait, cet art répond au besoin d'abstraction auquel ont obéi dans leur création les meilleurs artistes du monde entier depuis soixante ans; ce sont en particulier les œuvres des peintres cubistes qui ont incité les amateurs d'art et le public à se rendre à Arezzo et à découvrir la grandeur unique de Piero della Francesca. L'attrait qu'il exerce aujourd'hui sur nous ne pourra aller qu'en s'accentuant avec le temps. Il est évident qu'il y a, dans l'art, d'autres synthèses possibles entre le concret et l'ima-ginaire et que l'on pourra en préférer une qui ne soit pas celle de Piero, mais on reconnaîtra toujours à celui-ci une autorité souveraine dans l'évocation simultanée du réel et de l'idéal.

LA RESTITUTION DE LA CROIX A JÉRUSALEM (N⁰ 11 DU SCHÉMA), DÉTAIL.
LA LÉGENDE DE LA CROIX.
FRESQUE. AREZZO, ÉGLISE SAINT-FRANÇOIS.

L'ANNONCIATION (Nº 14 DU SCHÉMA) - LA LÉGENDE DE LA CROIX - FRESQUE.
AREZZO, ÉGLISE SAINT-FRANÇOIS.

III

LA RÉSURRECTION

DIPTYQUE DE FRÉDÉRIC DE MONTEFELTRO ET DE BATTISTA SFORZA

LA VIERGE ET L'ENFANT AVEC DEUX ANGES

LA NATIVITÉ

LA VIERGE ET L'ENFANT ENTOURÉS DE SAINTS ET D'ANGES

LA RÉSURRECTION

Borgo San Sepolcro, Palais communal

Nous nous trouvons à nouveau en présence d'une œuvre parmi les plus étonnantes de toute la production de Piero. Il semble impossible qu'un peintre qui n'aime pas le mouvement puisse réussir un tel sujet. Même chez Giotto, on remarque dans cette scène un effort d'animation. Piero, au contraire, veut garder l'immobilité de ses figures jusque dans l'évocation de l'événement sacré.

Au premier plan, les soldats sont représentés en raccourci, et en général le raccourci donne une idée de mouvement. Mais pas chez Piero. Ses personnages sont comme cristallisés et leur forme est rendue par une multitude de facettes lumineuses et régulières. On pourrait y apercevoir comme l'arabesque des rayons d'une roue, mais d'une roue qui se serait arrêtée pour l'éternité. Le Christ apparaît comme une image sacrée, immobilisée à jamais, et seule la puissance formelle de sa jambe indique qu'il émerge du tombeau. Le groupe est construit comme une pyramide dont le haut serait formé par la tête du Christ et la base par les quatre soldats. Notons encore que c'est par rapport à la lumière que s'explique la forme de ces images: les soldats sont foncés et le Christ lumineux, contraste qui se retrouve dans le paysage, se détachant, sombre, sur le ciel clair. Ce rythme a une raison symbolique: tandis que les hommes et la terre restent dans l'ombre, le Christ et le ciel sont en pleine clarté. Le charme magique de cette scène réside justement dans la puissance de réalisation de cette apparition, dans la concrétisation de cette vision abstraite.

LA RÉSURRECTION - FRESQUE. BORGO SAN SEPOLCRO, PALAIS COMMUNAL. ▶

Le rapport entre les personnages et le paysage accentue le caractère spirituel de la composition et affirme la suprématie des figures sur la nature.

Vasari parle de cette peinture et la cite comme la meilleure œuvre de Piero se trouvant à Borgo San Sepolcro. En 1480, peut-être, elle a été enlevée de sa place originale. Nous ne savons pas si, au XVIIIᵉ siècle, elle a été recouverte d'une couche de chaux. Rosini, en 1839, a été le premier écrivain moderne à en parler, mais il l'attribue à Signorelli. Elle serait, selon la critique actuelle, de l'époque des dernières fresques d'Arezzo.

LA RÉSURRECTION, DÉTAIL. BORGO SAN SEPOLCRO, PALAIS COMMUNAL.

DIPTYQUE DE FRÉDÉRIC DE MONTEFELTRO ET DE BATTISTA SFORZA

Florence, Musée des Offices

NOUS AVONS déjà vu que la date de ce diptyque doit être postérieure à 1472, année de la mort de Battista Sforza. Adolfo Venturi (*Piero della Francesca*, p. 56) avait fait remarquer que le visage de Battista est pareil au « masque de cire d'une défunte ». Frédéric au contraire est représenté avec énergie et la tonalité sombre de son visage se détache sur le ciel. Comme Malatesta, dans son portrait, il est de profil, de manière que l'image soit isolée, et qu'elle se découpe avec netteté. Il est vrai que Piero a peint un paysage comme fond, mais il s'agit d'une vue lointaine, sans premier plan, et — notons-le — sans rapport aucun avec la campagne voisine d'Urbino. C'est donc un paysage imaginaire qui a justement pour rôle de rendre plus évident encore l'isolement du profil.

Au revers des portraits sont peints, avec une grâce infinie, les deux Triomphes, émaillés des plus belles couleurs. La terrasse où passe le cortège se détache moins nettement de l'arrière-plan et il semble même que la scène acquiert une teneur poétique justement parce qu'elle paraît se perpétuer au loin dans le paysage. Rivières et collines coniques, répétées mais renouvelées constamment, créent un pays féerique, tout de paix et de mesure.

Frédéric est escorté par les quatre Vertus Cardinales: la Justice, la Prudence, la Force et la Tempérance; Battista Sforza, par les trois Vertus Théologales: la Foi, l'Espérance et la Charité.

PAGE 98. BATTISTA SFORZA - VOLET GAUCHE DU DIPTYQUE (CHAQUE PANNEAU, H. 0,47; L. 0,33). FLORENCE, MUSÉE DES OFFICES.

PAGE 99. FRÉDÉRIC DE MONTEFELTRO - VOLET DROIT DU DIPTYQUE (CHAQUE PANNEAU, H. 0,47; L. 0,33). FLORENCE, MUSÉE DES OFFICES.

SCÈNE ALLÉGORIQUE - REVERS DU VOLET DROIT. FLORENCE, OFFICES.

Clarus insigni vehitur triumpho	Le célèbre (Frédéric) est porté en triom-
Quem parem summis ducibus perhennis	phe. L'éternelle renommée de ses vertus
Fama virtutum celebrat decenter	le glorifie tandis qu'il tient noblement
Sceptra tenentem.	le sceptre comme les grands chefs.

Cette inscription se trouve placée au revers du volet droit, au-dessous du char allégorique de Frédéric de Montefeltro; elle évoque au présent sa gloire.

SCÈNE ALLÉGORIQUE - REVERS DU VOLET GAUCHE - FLORENCE, OFFICES.

Quemodum rebus tenuit secundis
Coniugis magni decorata rerum
Laude gestarum volitat per ora
Cuncta virorum.

Combien durant sa vie (Battista) fut bienfaisante, parée de la gloire des exploits de son illustre époux, toutes les bouches le célèbrent.

Cette inscription au revers du volet gauche est rédigée au passé. Battista Sforza étant morte en 1472, le diptyque a pu être peint à l'occasion de sa mort ou peu après.

LA VIERGE ET L'ENFANT AVEC DEUX ANGES

Urbino, Galerie nationale

CE TABLEAU provient de l'église Sainte-Marie-des-Grâces de Sinigallia. Malgré l'absence de tout document, il est incontestablement de Piero, et son style nous incite à le situer à une époque tardive de l'activité de l'artiste.

Généralement, la critique s'accorde à voir dans les dernières œuvres de Piero certains signes de décadence; M. Kenneth Clark, par exemple, pense qu'à cette époque le peintre se serait désintéressé de son activité picturale pour se consacrer entièrement à ses traités de perspective et de géométrie. En réalité, les dernières peintures dénotent une nouvelle recherche: si l'artiste accorde moins d'importance à l'abstraction géométrique des formes, il révèle par contre d'autres qualités et peint suivant une nouvelle exigence intérieure.

Ses premières œuvres attestent déjà qu'il connaissait la technique des peintres flamands, en particulier celle de Van Eyck, mais c'est surtout dans ses derniers tableaux que les rapports de lumière et ombre s'intensifient pour atteindre à une intimité spirituelle plus profonde. Piero accentue l'ombre, modifie la forme pour mieux l'adapter aux contrastes lumineux; enfin, il porte un plus grand soin aux détails. Comparons, par exemple, les anges du *Baptême* de la National Gallery et ceux du tableau d'Urbino. Les premiers, d'une grâce incontestable, certes, ne possèdent pourtant pas l'étonnante vitalité picturale et morale des seconds. Dans le tableau d'Urbino, la fenêtre du fond comme la nature morte sont autant de détails qui soulignent la complexité picturale de l'œuvre.

Un tel chef-d'œuvre n'est pas d'un peintre en décadence, mais bien plutôt d'un artiste en plein renouvellement de sa force créatrice. Peut-être pourrions-nous y voir la marque d'un drame: le signe que dans l'âme de Piero la certitude heureuse des jeunes années cède désormais le pas aux tourments de la vieillesse. Mais ceci n'altère nullement la qualité de son art.

LA VIERGE ET L'ENFANT AVEC DEUX ANGES - (H. 0,61 ; L. 0,53).
URBINO, GALERIE NATIONALE.

LA NATIVITÉ
Londres, National Gallery

Comparée à la *Vierge* d'Urbino, cette *Nativité* révèle une nouvelle étape dans le dernier style de Piero.

Selon M. Kenneth Clark, l'Enfant Jésus, étendu aux pieds de la Vierge, aurait été inspiré par celui de Hugo Van der Goes, dans le *Triptyque Portinari*, actuellement aux Offices. Mais en réalité ce n'est pas le seul détail que Piero ait repris de la peinture flamande en général, et du *Triptyque Portinari* en particulier. D'eux, il a appris ce charme intime qui se dégage de chaque personnage comme de toute la composition, la vision caractéristique du paysage, le réalisme des figures de vieillards. Sa personnalité a évidemment transformé ces éléments, même si, comme les Flamands, il se concentre désormais dans la transcription des émotions ; la Vierge n'est plus la représentation d'un symbole comme dans l'*Annonciation*, mais simplement une jeune femme, belle et pauvre, qui prie humblement. Et si les anges qui, autour d'elle, chantent à la gloire de Dieu sont parmi les plus grandes créations de Piero, c'est justement parce qu'ils semblent pénétrés d'une certaine anxiété douloureuse. La forme de la cabane ne correspond pas non plus aux préférences antérieures de Piero. Elle est fidèle à la vraisemblance historique : mais c'est cela qui étonne.

La valeur monumentale de l'art de Piero suggère qu'il devait avoir un très grand orgueil, un orgueil de roi, de dieu créateur. On n'en retrouve aucune trace dans *La Nativité*, qui offre un caractère frappant d'intimité. Peut-être Piero a-t-il eu dans sa vieillesse une crise religieuse qui l'a détourné de l'assurance humaniste ? Peut-être, ayant définitivement arrêté sa théorie géométrique, n'a-t-il plus jugé nécessaire de l'éprouver dans sa peinture ? Nous savons seulement que *La Nativité* représente

pour Piero un repli sur soi-même, un volontaire appauvrissement
extérieur pour atteindre les profondeurs de l'âme. Le dessin
préparatoire de la peinture est visible dans quelques figures
de ce tableau, non parce que celui-ci est resté inachevé, mais
parce qu'il a été abîmé par des restaurations successives:
malgré tout, rien n'éteint son merveilleux attrait.

LA NATIVITÉ, DÉTAIL DES ANGES MUSICIENS. LONDRES, NATIONAL GALLERY.

Dans ses notes sur les *Vies* de Vasari, Milanesi indique que ce tableau appartenait à la famille Marini Franceschi de Borgo San Sepolcro, descendants de Piero. Puis il fut confié au chevalier Frescobaldi de Florence, chez qui on le vit en 1861. Le 6 juin 1874, la National Gallery l'acheta à la vente Barker.

◄   LA NATIVITÉ, DÉTAIL DU PAYSAGE. LONDRES, NATIONAL GALLERY.

LA VIERGE ET L'ENFANT
ENTOURÉS DE SAINTS ET D'ANGES

Milan, Pinacothèque Brera

C E RETABLE provient de l'église Saint-Bernardin à Urbino, construite après la mort de Frédéric, et plus précisément entre 1483 et 1491. Or, le testament du duc stipule que celui-ci voulait être enseveli à San Donato. On peut donc émettre deux hypothèses quant à la date du tableau de Piero: ou il fut peint pour l'église San Donato et transporté après à Saint-Bernardin, ou il fut exécuté après la mort de Frédéric, c'est-à-dire entre 1483 et 1491. Cette dernière supposition est probablement la plus vraisemblable, parce que c'est saint Bernardin et non San Donato qui est représenté (cf. P. Rotondi dans *Belle Arti* 1, 3-4, 1947, p. 192). La critique a parfois hésité à attribuer cette œuvre à Piero, mais en vérité on ne peut douter de son authenticité étant donné sa remarquable qualité artistique.

Disons tout d'abord que les mains de Frédéric sont une fausse note dans ce tableau; elles ont été peintes à la manière réaliste par un peintre disciple des Flamands (on a pensé à Pedro Berruguete, dont la présence à Urbino est connue à partir de 1473 et qui collabora avec Juste de Gand à la décoration du fameux Cabinet des Arts libéraux de Frédéric de Montefeltro, avant de quitter l'Italie en 1483). Abstraction faite de cette adjonction discordante et déplorable, il est vrai que les figures sont empreintes d'un réalisme rare chez Piero, intensifié par l'abstraction de la composition. Placés devant une sorte d'abside en marbre, les personnages se tiennent droits et immobiles, et la Vierge a un aspect hiératique quelque peu forcé. Entre

LA VIERGE ET L'ENFANT ENTOURÉS DE SAINTS ET D'ANGES, FRÉDÉRIC DE ▶ MONTEFELTRO DONATEUR - (H. 2,48; L. 1,70). MILAN, PINACOTHÈQUE BRERA.

le réalisme des visages et de quelques détails des vêtements et l'abstraction géométrique de la composition, le contraste ne satisfait pas pleinement. Pourtant, si l'on contemple les anges et la merveilleuse figure de saint Pierre martyr — dans lequel on a voulu voir le portrait de Luca Pacioli — nous retrouvons, entière, toute la joie que peut nous donner l'art de Piero. Leur charme compense largement les réserves que nous pourrions formuler devant l'ensemble de l'œuvre.

Si l'on veut étudier ce tableau par rapport à l'histoire du goût, on voit l'intérêt particulier que peut avoir l'interprétation tout humaine de la scène sacrée, conçue et décrite par l'artiste comme une cérémonie de cour.

L'œuf suspendu dans l'abside, outre son pouvoir visuel d'évocation en tant que perfection formelle, a aussi une autre signification: c'est le symbole des quatre éléments du monde (cf. *Journal of the Warburg and Courtauld Institute*, vol. IX, p. 27) ou celui de la création elle-même.

BIBLIOGRAPHIE SOMMAIRE

INDEX ET NOTICES BIOGRAPHIQUES

TABLES

BIBLIOGRAPHIE SOMMAIRE

La meilleure édition de *De Prospectiva Pingendi* de Piero della Francesca est celle de G. NICCO FASOLA, Florence 1942. — G. MANCINI a publié *De Corporibus Regularibus* dans les Mémoires de l'Accademia dei Lincei, Rome 1915.

Giorgio VASARI, *Le vite*, Florence 1550 et 1568. — Roberto LONGHI, *Piero dei Franceschi e lo sviluppo dell'arte veneziana*, dans *L'Arte*, 1914, pp. 198-221. — Adolfo VENTURI, *Piero della Francesca*, Florence 1922. — Roberto LONGHI, *Piero della Francesca*, Rome 1927. — Julius SCHLOSSER, dans *Xenia* 1938. — Creighton GILBERT, *New Evidence for the Date of Piero della Francesca's Count and Countess of Urbino*, dans *Marsyas* I, 1941, pp. 41-53. — Millard MEISS, *A documented Altarpiece by Piero della Francesca*, dans *The Art Bulletin* XXIII, I, mars 1941, pp. 53-65. — Mario SALMI, *Piero della Francesca e Giuliano Amedei*, dans *Rivista d'Arte* XXIV, janvier-juin 1942, pp. 26-44 ; *La Bibbia di Borso d'Este e Piero della Francesca*, dans *La Rinascita*, juillet-septembre 1943, p. 365 ; *Piero della Francesca e il palazzo ducale di Urbino*, Florence 1945 ; *Un' ipotesi su Piero della Francesca*, dans *Arti Figurative*, avril 1947, p. 48. — Kenneth CLARK, *Piero della Francesca's St. Augustine Altarpiece*, dans *Burlington Magazine*, août 1947, p. 205. — J. ALAZARD, *Piero della Francesca*, Paris 1948. — Roberto LONGHI, *Piero in Arezzo*, dans *Paragone*, 11, 1950. — B. BERENSON, *Piero della Francesca o dell' arte non eloquente*, Florence 1950. — Kenneth CLARK, *Piero della Francesca*, Londres 1951. — Roberto LONGHI, *La leggenda della Croce*, Milan 1951. — Henri FOCILLON, *Piero della Francesca*, Paris 1952. — Lionello VENTURI, *Piero della Francesca, G. Seurat, J. Gris*, dans *Diogène* N° 3, 1953, p. 25-30.

INDEX ET NOTICES BIOGRAPHIQUES

Les notices historiques et biographiques concernant les prédécesseurs et contemporains de Piero della Francesca ont été rédigées par R. Skira-Venturi.

ADAM 20, 57-62, 72.

AGNELLO Guido dell' 46.

ALBERTI Leon Battista (Gênes 1404 ? - Rome 1472) 11, 12, 13, 43; *Traité sur la peinture* 13.
Célèbre humaniste et architecte, il est le descendant d'une famille florentine exilée. Après des études littéraires et philosophiques et des voyages en Allemagne et en France avec le cardinal Albergati, il se rend à Rome en 1431 à la cour du pape Eugène IV et s'initie à l'art de construire. Venu à Florence en 1434, il fréquente l'élite artistique de cette ville et dédie à Brunelleschi son traité *De pictura*. Devenu le protégé du nouveau pape Nicolas V, il collabore aux projets d'urbanisme de Rome et publie en 1450 son célèbre ouvrage *De re aedificatoria*. Appelé par Sigismond Malatesta pour travailler à l'église Saint-François à Rimini, il ne tient compte ni de l'architecture primitive ni des travaux entrepris dès 1447 selon le style gothique et réalise une œuvre en forme de temple du plus pur style classique de la Renaissance (Tempio Malatestiano). Il construit à Mantoue l'église Saint-Sébastien, à Florence, le Palais et la Loggia Rucellai. Il entreprend dans cette ville la modernisation de l'église Sainte-Marie-Nouvelle et établit, pour les Gonzague, les plans de la basilique Saint-André. Ses nombreuses commandes ne l'empêchent pas de poursuivre ses travaux littéraires et philosophiques. Il est le principal protagoniste des discussions rapportées par Cristoforo Landino dans les *Disputationes camaldulenses*.

AMADI Jérôme 29, 40, 41, 43.

AMEDEI Giuliano 35.

ANDRÉ, saint 35.

ANGELICO Fra (Vicchio di Mugello 1387 - Rome 1455) 20.
De son vrai nom, Giovanni da Fiesole, Angelico entre à vingt ans au couvent dominicain de Fiesole où il reçoit très probablement une formation de peintre enlumineur. Il subit aussi l'influence de Lorenzo Monaco. En 1433, l'Arte dei Linaioli lui commande un grand retable qui reste aujourd'hui encore parmi ses œuvres les plus célèbres. Vasari dit qu'il peignait les anges « tellement beaux qu'ils semblent vraiment en paradis ». En 1436, Laurent de Médicis cède l'église et le cloître de Saint-Marc de Florence aux moines dominicains de Fiesole, qui font entièrement restaurer les bâtiments, confiant les travaux d'architecture à Michelozzo et la décoration à Fra Angelico. Avec des aides, celui-ci peint dans les cellules et les couloirs des scènes de la vie du Christ. Le couvent est solennellement inauguré en présence du pape Eugène IV en 1442. Le succès de cette œuvre vaut à Fra Angelico d'être appelé à Rome en 1445. Il peint des fresques, aujourd'hui détruites, dans la chapelle du SS. Sacramento puis, après une interruption de quelques années où il travaille à Orvieto, il peint au Vatican les fresques du *studio* de Nicolas V.

Arezzo 8, 23, 25, 26, 27, 82, 85, 90;
église Saint-François 5, 8, 10, 14,
18, 20, 25, 51-92, 96.
ARISTOTE 11.

BACCI, famille 25.
Baltimore, Musée 16.
BARKER 107.
Bastia, près de Pérouse 27.
BENEDETTO Marco di (frère de Piero
della Francesca) 24, 35.
BERENSON Bernard 90.
Berlin, Musée 16.
BERNARDIN, saint 35, 108.

BERRUGUETE Pedro (Paredes de Nava,
Castille, vers 1450-Avila 1504) 108.
On suppose qu'il fut, par l'intermé-
diaire de Fernand Gallego, au contact
des techniques flamandes dont il est
en complète possession lorsqu'il se
trouve en Italie avant 1477, travaillant
avec Melozzo da Forli pour le duc
Frédéric de Montefeltro. Il collabore
avec Juste de Gand aux figures de
prophètes et de philosophes qui or-
nent le *studiolo* d'Urbino. On lui
attribue également le portrait du duc
avec son fils Guidobaldo. Frédéric
étant mort en 1482, Berruguete
reparaît en Espagne l'année suivante.
Il exécute d'importants retables dans
les églises de sa province, dans les
couvents dominicains et à la cathédrale d'Avila. Il est le père du grand
sculpteur Alonso Berruguete.

BIANCHI Gaetano 68.

BICCI di Lorenzo (Florence 1373-
1452) 25.
On retrouve dans l'œuvre de ce peintre mineur les influences d'Agnolo
Gaddi, puis de Lorenzo Monaco et
Gentile da Fabriano. Il s'inspire du
Polyptyque Quaratesi pour sa *Vierge* de
la Galerie de Parme. Très actif, il
travaille à Florence, Empoli, Pescia
et à Saint-François d'Arezzo où il
peint la voûte et l'arc principal de la
chapelle qui, après sa mort, fut décorée par Piero della Francesca.

Borgo San Sepolcro 16, 18, 23, 24,
26, 27, 30-36, 82, 96, 107; Badia
(abbaye) 27; Chapelle de la Vierge
27; église des Frères de Saint-
Augustin 23, 25, 27; église de San
Rocco 35; Palais Communal 24,
30-35, 94, 96.

BRAMANTE (Monte Asdrualdo, près
d'Urbino 1444 - Rome 1514) 26.
Il est considéré comme le plus grand
architecte de la première moitié du
XVIe siècle et le fondateur du style
classique. D'abord au service de
Ludovic le More à Milan, il recons-
truit l'église San Satiro, prend part
aux travaux du Dôme de Pavie et
s'occupe de la décoration des somp-
tueuses fêtes de la Cour de son protecteur. Il fait aussi des fresques dans
la Casa Panigarola à Milan (aujour-
d'hui à la Pinacothèque Brera). Il
réalise la partie centrale de l'église
Sainte-Marie-des-Grâces (1492-1497)
et part pour Rome en 1499. En 1503,
il construit le petit temple de San
Pietro in Montorio, l'un des édifices
les plus caractéristiques de la Renaissance. La même année, Jules II devient pape et lui confie la direction
des chantiers de Saint-Pierre, du palais du Vatican et d'autres constructions à Rome et à Loreto. Les travaux
de Saint-Pierre commencent en 1506,
mais avant Bramante fait détruire
la vieille basilique, ce qui lui vaut le
surnom de « maestro ruinante » de la
part des Romains. Bramante établit
le plan d'une église en forme de croix
grecque avec un chœur semi-circu-

laire, des transepts et au centre une coupole gigantesque soutenue par quatre piliers colossaux. Il poursuit ardemment son travail, et quand il meurt, en 1514, il n'y a d'achevé que les quatre piliers et les arcs de plein cintre qui les surmontent. A partir de ce moment, la construction se poursuit fort lentement, avec des hésitations et des changements dans l'exécution des plans, jusqu'à ce que les travaux soient confiés en 1546 à Michel-Ange. Celui-ci reprend l'idée de son prédécesseur, disant: « Qui s'éloigne de Bramante s'éloigne de la vérité. »

BRUNELLESCHI Filippo (Florence 1379-1446) 13.
Ayant débuté comme élève orfèvre, il obtient la maîtrise en 1401 et présente pour le concours (gagné par Ghiberti) des portes de bronze du Baptistère deux panneaux représentant le *Sacrifice d'Abraham*, avant de s'adonner entièrement à l'architecture. Appelé à donner son avis sur la construction de la Cathédrale (Santa Maria del Fiore), il participe en 1418 au concours pour l'exécution de la coupole avec un projet grandiose où il démontre qu'il n'est pas nécessaire de faire une armature en bois. Son projet ayant été retenu avec celui de Ghiberti, après de longues disputes, la construction est commencée en 1420 et achevée en 1436, à l'exception de la lanterne en marbre qui devait la surmonter. Un autre concours ayant été ouvert, Brunelleschi le remporte, mais il ne peut voir son œuvre achevée avant de mourir. Ses contemporains surent reconnaître la hardiesse de cette immense coupole, qui est un des triomphes de l'architecture. Brunelleschi a entrepris aussi d'autres travaux: l'Hôpital des Innocents

(1421-1424), la Sacristie et l'église Saint-Laurent, commandés par Cosme de Médicis, l'église de Santa Maria degli Angioli, restée inachevée par manque de fonds, l'église du Saint-Esprit, le Palais et la Villa Pitti à Rusciano, remaniés par la suite. Le premier à rejeter le style gothique dans l'architecture, il fonde le goût humaniste. Il a donné aux peintres la théorie de la perspective géométrique.

BRUNI Leonardo (Arezzo 1370 - Florence 1444) 11, 12.
Venu à Florence dont il devient citoyen en 1416, il jouit d'une grande autorité auprès du Conseil de la Seigneurie et remplit la charge d'ambassadeur de la République florentine près du pape Martin V et celle de chancelier de 1427 à sa mort. C'est une des plus importantes figures d'humaniste du temps de Cosme de Médicis. Propagateur de la culture classique, écrivain et historien célèbre, il est aussi le défenseur de la langue « vulgaire ». Ses traductions en latin des classiques grecs eurent un grand succès et il écrivit plusieurs ouvrages d'histoire dont les *Historiae florentini populi*, traduites en italien, qui eurent une large diffusion.

CASTIGLIONE Sabba di (Milan 1480 - Faenza 1554) 26.
Descendant de la grande famille à laquelle appartenait le célèbre Baldassare Castiglione, chevalier de l'Ordre de Malte, il combat contre les Turcs à Rhodes de 1505 à 1508. Il s'établit ensuite à Rome où il est nommé procureur général de l'Ordre. Ayant obtenu la commende de Sainte-Marie-Madeleine à Faenza, en 1517, il s'installe dans cette ville où il vit jusqu'à sa mort, se vouant aux œuvres pies

et à sa passion de collectionneur d'objets d'art et de livres rares. Ses *Ricordi ovvero ammaestramenti* traitent de tout ce que doit savoir un homme cultivé dans le domaine moral et contiennent de curieuses observations sur l'art et les coutumes de son temps.

Cesena 46; bibliothèque 24.
CHOSROÈS, roi des Perses 21, 57, 63, 82, 83, 85, 86, 87.
CLARK Kenneth 46, 47, 102, 104.
Compagnie de l'*Annunziata* (Arezzo) 25, 27.

Concile de Florence 10.
Ce concile œcuménique, ouvert à Bâle en 1431, dissous en 1437, réuni à nouveau à Ferrare en 1438 et transféré en 1439 à Florence — d'où son nom — ne se termine qu'en 1443 à Rome. Y prennent part Jean Paléologue et le patriarche Joseph de Constantinople. Entre autres décisions fut votée l'union des églises grecques et latines.

Concile de Mantoue 50.
Confrérie de la Miséricorde (Borgo San Sepolcro) 24, 27, 35.
Confrérie de Saint-Bartholomé (Borgo San Sepolcro) 27.
Confrérie de Saint-Jean-Baptiste (Borgo San Sepolcro) 36.
CONSTANTIN, empereur 10, 21, 57, 58, 62, 63, 72-77.
Constantinople 47.
COROT Camille 21.
CYRIAQUE, évêque de Jérusalem 80.

DAVID, roi 72.
DONATO San 108.
Düsseldorf, Académie 68.

ESTE Borso d' (1413-1471) 24.
Fils naturel du duc Nicolo' III et de sa favorite, la belle Stella dell'

Assassino, il est, à la mort de son frère Lionello, acclamé comme seigneur de Ferrare et gouverne pendant vingt et un ans les duchés de Modène, Reggio et Ferrare. Très expert dans l'art de la guerre, grand chasseur, il a laissé une renommée de seigneur généreux, loyal et bon vivant. Quoique n'étant pas très cultivé, il a encouragé les arts, faisant notamment construire à Ferrare la Chartreuse et le second étage du palais Schifanoia que Tura et Cossa décorent de fresques en son honneur. Il a aimé la miniature et la *Bible de Borso* reste parmi les plus beaux livres enluminés de la Renaissance.

EYCK Jean VAN (province de Gueldre 1385/90 - Bruges 1441) 102.
On ne possède pas de renseignements certains sur lui avant 1422. A partir de cette date jusqu'en 1424, il travaille à La Haye pour Jean de Bavière. Le 19 mai 1425, il est nommé par décret spécial peintre de la Cour du Duc de Bourgogne, au service duquel il restera jusqu'à sa mort. De son côté, Philippe le Bon ne lui ménagera ni sa faveur ni les honneurs et l'enverra plusieurs fois en mission secrète. En 1428, il a charge d'exécuter au Portugal deux portraits de l'infante Isabelle, que le duc épousera en 1429. A son retour, Van Eyck s'établit à Bruges où, pendant les sept ans qui suivent, il peint ses œuvres les plus belles et les plus importantes, notamment le retable de *L'Adoration de l'Agneau mystique*, exécuté pour l'église de Saint-Bavon, à Gand, et qui aurait été commencé par le frère du peintre, Hubert dont, à vrai dire, on ne sait presque rien. Jean Van Eyck a laissé plusieurs œuvres signées et d'autres comportant des inscriptions tenant

lieu de signature. L'importance de ce peintre est immense, tant au point de vue technique qu'au point de vue stylistique et spirituel.

FASOLA Nicco, Commentaires à Piero della Francesca, *De perspectiva pingendi* 16, 17.
FERABÒ 26.
Ferrare 23, 24 ;
    peintres ferrarais 24.
FISCALI Domenico 68.
Flamands, peintres 19, 102, 104, 108.
Florence 12, 18, 19, 23, 24, 85, 107 ;
    Chapelle Brancacci 15, 19 ; Musée des Offices 14, 26, 97, 100, 101, 104 ; San Egidio 24 ; Santa Croce 72 ; peintres florentins 12, 18, 19.
FOCILLON Henri 20.
FRANCESCHI Benedetto de' (père de Piero) 24.
FRANCESCHI Marini 107.
FRESCOBALDI, chevalier 107.

GADDI Agnolo (?-Florence vers 1396) 72.
Fils de Taddeo Gaddi, élève et collaborateur de Giotto, Agnolo peint, après 1374, la *Légende de la Croix* dans l'église Santa Croce à Florence. Il est l'auteur des fresques de la Chapelle de la Cintola au Dôme de Prato.

GARIN E., *Umanesimo italiano* 11.

GENTILE da Fabriano (Fabriano vers 1370 - Rome 1427) 41.
Le premier document concernant ce peintre indique qu'en 1408, il peint pour Francesco Amadi à Venise. Il décore le Palais Ducal de Venise et influence toute la peinture vénitienne. De 1414 à 1419, il est à Brescia où il travaille pour Pandolfo Malatesta. En 1422, il est immatriculé dans la corporation des peintres à Florence.

L'année suivante, il termine *L'Adoration des Mages*, actuellement aux Offices, et en 1425 le *Polyptyque Quaratesi*. Il séjourne ensuite à Sienne et à Orvieto et, à partir de 1427, il est à Rome où il peint les *Histoires de saint Jean Baptiste* — aujourd'hui perdues — dans la basilique de Saint-Jean-de-Latran. Il est, avec Pisanello, le représentant le plus caractéristique en Italie du gothique international.

GIOTTO (Colle Vespignano 1266 - Florence 1336) 94.
Si les renseignements précis sur la vie de Giotto sont fort rares, les légendes et les anecdotes abondent. Nous nous bornerons à mentionner les dates et les faits essentiels. En 1312, il est inscrit à la corporation des peintres de Florence. A une date qu'on n'a pas pu établir avec certitude mais qui se situe vers la fin du XIIIe siècle, il peint les fresques illustrant la vie de saint François à l'église supérieure de Saint-François à Assise. Cette œuvre comporte vingt-huit scènes, peintes par le maître et ses élèves, et qui se trouvent dans la nef de l'église. Giotto peint à Padoue la chapelle des Scrovegni ; en 1305 est terminée la décoration comprenant trente-huit scènes s'étageant le long des parois en trois registres ; au-dessus de l'entrée est représenté le *Jugement dernier*. Des figures des Vices et des Vertus simulant des sculptures coupent la base monochrome. En 1311, Giotto est à Rome au service du cardinal Stefaneschi, pour lequel il aurait exécuté une mosaïque, aujourd'hui détériorée, et un polyptyque (Pinacothèque vaticane) qui a suscité bien des discussions de la part des critiques. La même année, Giotto est de retour à Florence où il peint un crucifix pour

l'église Sainte-Marie-Nouvelle et deux tableaux représentant la *Vierge* et la *Mort de Marie*. A l'église Santa Croce, il décore quatre chapelles; dans deux seulement ses fresques ont subsisté, mais dans un état de conservation assez mauvais. Dans l'une des chapelles est représentée la vie de saint Jean Baptiste et de saint Jean l'Evangéliste; dans l'autre, la vie de saint François. En 1334, Giotto travaille à Naples, à la cour du roi d'Anjou; la même année, il est de retour à Florence où il est nommé maître et ordonnateur des chantiers de la Cathédrale. A la même date, on commence les travaux du Campanile, mais Giotto meurt avant de voir son œuvre accomplie. Il avait aussi exécuté des dessins pour quelques bas-reliefs du Campanile. Giotto renouvelle la peinture italienne; on dit de lui qu'il « changea la peinture de grecque en latine ».

GOES Hugo VAN DER (Gand ? - Rouge-Cloître, près de Bruxelles 1482), *Triptyque Portinari* 104.
Un document des archives de Louvain signale qu'il est né à Gand. En 1467, il est nommé maître de la guilde des peintres. L'année suivante, il se rend à Bruges pour participer aux travaux de décoration pour les fêtes célébrées à l'occasion du mariage de Charles le Téméraire et de Marguerite d'York. En 1475, il reçoit de Thomas Portinari la commande d'un retable destiné à la chapelle de l'hôpital Sainte-Marie-Nouvelle de Florence et qui se trouve actuellement aux Offices. A cette même date environ, il est élu doyen de la guilde et, en 1476, il entre dans un couvent près de Bruxelles, le Rouge-Cloître, où il continue à travailler intensément

jusqu'à sa mort. Ame inquiète et chercheur passionné, il a exercé une grande influence sur la peinture de son temps et même sur la peinture florentine.

Gothique, style 18, 19, 58.
GRONAU, *Repertorium für Kunst-wissenschaft* 35.

HÉLÈNE, sainte 77.
HELLMANN-RENIER 41.
HÉRACLIUS 21, 57, 63, 82, 83, 85, 86, 87.

INGRES 21.

JEAN, saint 36.
JÉRÔME, saint 29, 40, 41, 43.
Jérusalem 57-58, 63, 72, 74, 77, 80, 82, 88, 89, 91.
JUDAS 77, 79, 80.
JUSTE DE GAND (Gand vers 1430 - ? 108.
Il est nommé dans la guilde de Saint-Luc à Gand en 1464. Son départ pour Rome se situerait entre 1468 et 1474, et sa résidence à Urbino entre 1473 et 1475. Là, il participe avec Berruguete à la décoration du *studiolo* de Frédéric de Montefeltro et peint aussi le retable de la *Communion des Apôtres* (Galerie Nationale, Urbino). Si certaines de ses œuvres reflètent une influence italienne, on peut trouver aussi un écho de son art chez quelques peintres italiens, comme Giovanni Santi, père de Raphaël.

LANDINO Cristoforo (Florence 1424-1492), *Disputationes camaldulenses* 11.
Cet écrivain humaniste doit surtout sa renommée aux quatre volumes des *Disputationes camaldulenses* publiés vers l'année 1480. L'auteur imagine des discussions qui auraient eu lieu pen-

dant quatre journées dans le couvent des Camaldoli au cours de l'été 1468. Le protagoniste principal de la discussion est L. B. Alberti qui s'entretient avec Laurent de Médicis et Marsile Ficin. Landino laisse aussi deux autres livres de commentaires de l'*Enéide* et de la *Divine Comédie*. Le manuscrit de ce dernier, illustré par Botticelli, fut présenté en 1481 à la Seigneurie.

Légende dorée, vaste recueil du xve siècle sur la vie des saints par Jacques de Voragine 72.

LÉONARD DE VINCI 5, 17.

Londres, National Gallery 14, 19, 21, 36, 102, 104, 105, 107.

LONGARO Marco di 27.

LONGHI Roberto, *Piero della Francesca* 18, 20, 90.

MALATESTA Sigismond Pandolfo (1417 - Rimini 1468) 21, 25, 29, 42-46, 97.
Seigneur de Rimini, Fano et Sinigallia, à 18 ans il est nommé chef de l'armée pontificale des Romagnes et des Marches. De 1433 à 1463, il participe à toutes les guerres d'Italie où il se bat pour l'un ou l'autre des seigneurs. Frédéric de Montefeltro est son adversaire acharné. De 1464 à 1465, il combat les Turcs en Morée, pour le compte de Venise, mais il échoue. Rentré en Italie, il essaie de reprendre possession de son Etat, mais en vain. Il part pour Rome avec l'intention d'assassiner le pape Paul II qui avait été autrefois son ami, mais il ne met pas son projet à exécution et meurt peu après à Rimini. Il est célèbre pour avoir fait de Rimini un centre artistique de premier ordre, en appelant Alberti, Matteo de' Pasti, Agostino di Duccio,

Piero della Francesca, pour transformer et décorer l'église Saint-François qui, après ces travaux, fut appelée le *Tempio Malatestiano*.

MASACCIO (San Giovanni Valdarno 1401 - Rome 1429) 5, 9, 10, 11, 15, 17-20, 35; *Crucifixion de Pise* 35; *Madone de Pise* 19.
Il a été le fondateur de la peinture de la Renaissance. Aux dires de Vasari, il se serait appelé de son vrai nom Tommaso Cassaio. Masaccio serait un surnom signifiant « mauvais Thomas ». Il est immatriculé en 1422 dans la corporation des peintres. En 1426, il peint le polyptyque de l'église du Carmine à Pise, dont les parties principales sont à la National Gallery à Londres (*Madone*) et au Musée de Naples (*La Crucifixion*). Masolino et Masaccio étaient probablement employés au couvent des Carmes, à Florence, lorsque Michel Brancacci, marchand de soieries, leur commande vers 1423 la décoration de la chapelle dédiée à la Madone du Peuple. Masolino et Masaccio y travaillent ensemble, puis le premier interrompt les travaux en 1427 lors de son départ pour la Hongrie. Masaccio continue seul la décoration. On reconnaît de sa main les scènes suivantes : *Saint Pierre baptisant, Saint Pierre et saint Jean faisant l'aumône, Saint Pierre guérissant par son ombre, Adam et Eve chassés du Paradis terrestre, Le Tribut*, et *Saint Pierre invoquant le Saint Esprit*. Cette dernière scène fut en partie refaite par Filippino Lippi qui, après le départ et la mort de Masaccio à Rome, travaille à la chapelle.

MATTEO DI GIOVANNI (Borgo San Sepolcro, vers 1430 - Sienne 1495) 36.
Il s'établit à Sienne avant 1452 et subit les influences de Sassetta et

Vecchietta. Parmi ses œuvres, d'un charme naïf et provincial, citons le *Massacre des Innocents*, qu'il a répété à plusieurs reprises, et de nombreux retables.

MAXENCE 55, 74-77.
MÉDICIS, Laurent de 11.
MICHEL-ANGE, décoration de la Chapelle Sixtine 85.
Milan, Pinacothèque Brera 4, 26, 108.
MILANESI Gaetano, 35; Notes sur les *Vies* de Vasari 107.
Modène, Bibliothèque Estense, *Bible de Borso d'Este* 24.

MONTEFELTRO, Frédéric de (Gubbio 1422 - 1482) 14, 21, 26, 46, 47, 93, 97-101, 108, 109; *Cabinet des Arts Libéraux* 108.
Fils naturel de Guidantonio, comte de Montefeltro et d'Urbino, il est appelé en 1444, après la mort de son demi-frère Oddantonio, à diriger la seigneurie d'Urbino. Figure caractéristique de condottiere, au jugement sûr et rusé, courageux et prudent à la guerre, il réussit, par une série de batailles au service des Sforza, des Aragon, du pape, et ensuite contre le pape, à tripler la superficie de son Etat, situé entre Saint-Marin et Gubbio. Extrêmement cultivé, il fait de sa cour un centre artistique, littéraire et philosophique très important. Il fonde la plus riche bibliothèque de tout l'Occident et fait appel à Melozzo da Forli, au Flamand Juste de Gand et à des sculpteurs comme Domenico Rossellini pour décorer son palais d'Urbino, construit par le Dalmate Luciano Laurana. Pendant de longues années, il est l'ami et le protecteur de Piero della Francesca. Il laisse une renommée d'homme juste et loyal.

MONTEFELTRO Guidobaldo 26, 27; Oddantonio 46.
Murano 17.

NICODÈME, Evangile de 72.

Ombrie 82.

PACIOLI Luca (Borgo San Lorenzo, vers 1445 - après 1509) 110.
Mathématicien célèbre, auteur de plusieurs traités, il est instituteur dans une riche famille de marchands vénitiens avant de se faire franciscain et de devenir professeur de mathématiques dans différentes villes d'Italie. A Milan, à la cour de Ludovic le More, il se lie d'amitié avec Léonard de Vinci. Il est aussi l'ami de Piero della Francesca et de L. B. Alberti. En 1496, il écrit son livre sur la *Divina proportione*, qui reflète les idées de ses amis. L'édition publiée en 1503 à Venise comportait des figures de polyèdres en perspective dessinées par Léonard. Il laisse aussi un *Libellus corporum regularium* dans lequel il a plagié les idées de Piero della Francesca.

PERINO de Monterchi, Romana di (mère de Piero) 24.
Pérouse 27.

PÉRUGIN, Le (Città del Pieve, vers 1445 - Fontignano 1523) 82, 90.
Il s'appelle de son vrai nom Pietro Vanucci. Son surnom de Pérugin dérive du nom de Pérouse, ville où le peintre vit pendant de longues années. Selon Vasari, il aurait été élève de Piero della Francesca à Arezzo. En 1472, il est à Florence. Il travaille dans la *bottega* de Verrocchio et est en contact avec les œuvres des peintres flamands, dont il assimile la technique. Il peint d'innombrables tableaux pour

Florence, Rome, Pérouse, les villes des Marches; il travaille à Bologne, Crémone, Pavie et Venise. En 1481, à Rome, il est chargé avec Cosimo Rosselli, Botticelli et Ghirlandajo, de décorer les parois de la Chapelle Sixtine. En 1500, il termine la décoration du Collegio del Cambio à Pérouse, où, parmi ses aides, se trouve le jeune Raphaël. A partir de cette date, ses œuvres, toujours très nombreuses, révèlent certains signes de décadence.

PIERO DELLA FRANCESCA, écrits: *De perspectiva pingendi* 13, 16, 27, 102; *De Quinque Corporibus Regularibus* 13, 26, 27, 102.

Peintures: *Annonciation* (étendard) 25, 27; *Baptême du Christ* 14, 21, 29, 36-39, 41, 102; *Diptyque de Frédéric de Montefeltro et de Battista Sforza* 14, 21, 93, 97-101; *La Flagellation* 15, 16, 26, 29, 46-50; *La Nativité* 93, 104-107; *Polyptyque de la Miséricorde* 23, 29-35; *Crucifixion* 31, 34, 35; *La Madone de la Miséricorde* 30, 31, 32, 33; *La Résurrection* 16, 93-96; *Saint Jérôme et le donateur Jérôme Amadi* 29, 40, 41, 43; *Saint Sigismond vénéré par Sigismond Malatesta* 29, 42-45; *La Vierge et l'Enfant avec deux anges* 93, 102-104; *La Vierge et l'Enfant entourés de saints et d'anges* 4, 93, 108-110; *La Légende de la Croix* 8, 51-92; *Annonciation* 57, 59, 63, 77, 92, 104; *La Bataille d'Héraclius contre Chosroès* 21, 57, 63, 82-87; *Héraclius restituant la Croix à Jérusalem* 21; *L'Invention de la Croix* 14, 57, 58, 63, 78, 80; *La mort d'Adam* 20, 57-60, 62; *La preuve de la vraie Croix* 57, 63, 78, 79, 81; *Prophète* 8, 57, 63, 82; *Réception de la reine de Saba chez le roi Salomon* 57-59, 65, 67-71; *La restitution de la Croix à Jérusalem* 57, 58, 63, 88, 89, 91; *Le songe de Constantin* 57, 58, 63, 72, 73; *La torture du Juif* 57; *Le transport du bois de la Croix* 57; *La victoire de Constantin sur Maxence* 21, 57, 62, 74-77; *La visite de la reine de Saba au roi Salomon* 16, 57, 58, 59, 64, 66, 68.

PIERRE, saint 110.

PIETRO Nicolo di 41.

PII da CESENA, Manfredo de' 46.

PISANELLO Antonio (1397? - après 1450) 19.

Antonio Pisano de son vrai nom, est ainsi nommé à cause de son origine. Sa vie est un continuel va-et-vient entre les diverses cours d'Italie. Très jeune, il travaille à Venise. En 1422 environ, il est à Mantoue à la cour des Gonzague et quelque temps après il se rend à Vérone, puis à Rome. Ayant participé à la tentative de Piccinino et de François Gonzague pour s'emparer de Vérone, il doit quitter la ville et se réfugier à Venise où il est sous le jugement du Conseil des Dix. Peu de temps après, il peut se rendre à Ferrare, mais ce n'est que bien plus tard qu'on lui permet de retourner à Mantoue et à Vérone. A partir de 1443, il est à nouveau à Ferrare et Mantoue, puis à Rimini et enfin à Naples. Il est célèbre pour son activité de médailleur et de peintre. Son art est étroitement lié au courant du gothique international que le peintre sut douer d'une imagination et d'une fantaisie poétique raffinée et caractéristique. Les principales œuvres qui nous sont parvenues sont, à Vérone, la grande fresque de *Saint Georges* à l'église Sant'Anastasia et la décoration de la tombe de Niccolo Brenzoni à l'église San Fermo, la *Vision de saint Eustache* (National Gallery, Londres), le portrait de *Lionello d'Este* (Musée de Bergame), le portrait d'une princesse (Louvre), des médailles et de nombreux dessins.

PLATON 14.
PLOTIN 12.

POLLAIOLO Antonio (Florence, vers 1432 - Rome 1498) 17, 21.
Son nom véritable était Antonio di Jacopo Benci; on l'a surnommé Pollaiolo parce qu'il est le fils d'un marchand de poulets. Son frère Piero contribue la plupart du temps à l'exécution de ses œuvres. Peintre, dessinateur, graveur, architecte, sculpteur et orfèvre, Antonio s'exerce dans toutes ces branches avec un égal bonheur, mais malheureusement rares sont ses œuvres qui nous sont parvenues. Nous savons qu'il a peint trois grands tableaux représentant les *Travaux d'Hercule*, qui sont disparus aujourd'hui. Il établit les cartons des vingt-sept tapisseries d'apparat du Baptistère de Florence. En 1467, il commence la décoration d'un monument funéraire à San Miniato. A Rome, il crée les figurines de *Romulus et Remus à la louve*, emblème de la Ville éternelle. Il exécute les tombeaux des papes Sixte IV et Innocent VIII. *Le martyre de saint Sébastien*, *Apollon et Daphné*, *Hercule et Déjanire*, le portrait de femme du Musée Poldi-Pezzoli à Milan, sont parmi ses tableaux les plus célèbres.

Quattrocento 12, 14, 16, 19.

RAMBOUX Antoine 68.
RAPHAËL 26, 86; Stances 85.
Revues: *Arte e Storia* 35; *Belle arti* 108; *Il Buonarroti* 35; *Journal of the* *Warburg and Courtauld Institutes* 110; *Rinascita* 24; *Rivista d'Arte* 35.
Rimini 21, 23, 27; Tempio Malatestiano 25, 43-45.
ROBINSON Sir 36.
Rome 23, 25, 68, 77, 85.
ROSINI 96.
ROTONDI P. 108.
RUMOHR Von, *Italienische Forschungen* 89.

SABA, reine de 10, 14, 16, 21, 57-59, 64-69, 71, 72.
SALMI Mario 24, 35.
SALOMON, roi 10, 16, 57, 58, 59, 64-70, 72, 74.
SALUTATI Coluccio (Stignano in Valdinievole, Toscane 1331 - Florence 1406) 11.
Après des études de lettres et de jurisprudence, il entre dans la vie publique, occupant des postes officiels à Todi en 1367, à Lucques en 1371 et entre temps à Viterbe, comme l'un des secrétaires apostoliques du pape Urbain V. Après être devenu évêque, il quitte les ordres et est nommé en 1375 chancelier de la Seigneurie de Florence. En pleine période de luttes entre guelfes et gibelins, il occupe ce poste avec honneur jusqu'à sa mort. Célèbre humaniste, homme d'Etat habile et équitable, latiniste distingué, considéré comme le premier savant de son temps après la mort de Pétrarque et de Boccace, Salutati rétablit ou fait rétablir de nombreux manuscrits anciens. Le meilleur de son œuvre se trouve dans ses lettres et ses traités de philosophie et de morale. Il existe un buste de lui dans la cathédrale de Fiesole, exécuté vers 1466 par Mino da Fiesole.

San Sepolcro (voir Borgo San Sepolcro).

SANTI Giovanni (père de Raphaël) 26.
SETH, fils d'Abraham 72.
SFORZA Battista 14, 21, 26, 93, 97-101.
SIGISMOND, saint 25, 29, 42-45.
SIGNORELLI Luca 96.
Siloé, fleuve 72, 77.
Sinigallia, église Sainte-Marie-des-Grâces 102.

Torcello 17.
Toscane 82.

Urbino 15, 16, 23, 26, 27, 46, 97, 102, 104, 108; Cathédrale 50; église Saint-Bernardin 26, 108; église San Donato 108; Galerie Nationale 46, 47, 102, 103.
UZIELLI 36.

VASARI Giorgio (Arezzo 1511 - Florence 1574) 24, 27, 35, 85, 96, 107. Peintre, architecte, écrivain. Très jeune, il est envoyé à Florence pour étudier la peinture, et il travaille sous la direction de Michel-Ange, qu'il considère comme un dieu, puis d'Andrea del Sarto et de Baccio Bandinelli. Après un séjour à Arezzo, il se rend à Rome en 1531, où il fait de nombreuses études d'après Michel-Ange, Raphaël, etc.; il étudie la sculpture et l'architecture, à laquelle Michel-Ange lui conseille de se consacrer uniquement. Il voyage en Italie et sur le conseil de son mécène, le cardinal A. Farnèse, il se décide à écrire son ouvrage: *Vies des meilleurs architectes, peintres et sculpteurs*, dont la première édition paraît en mars 1550. En 1554, il s'installe à Florence où il est chargé notamment de transformer le Palazzo Vecchio et de construire les Offices (qui devaient servir de bureaux à la magistrature). En plus de nombreux travaux d'architecture et de peinture, il restaure Santa Croce et Sainte-Marie-Nouvelle « à la manière moderne » et commence le long passage qui relie le Palais Pitti au Palazzo Vecchio. La seconde édition des *Vies* paraît en 1568. En 1570, il exécute des fresques dans des chapelles au Vatican et il termine celles du Palazzo Vecchio. Nous sommes très bien renseignés sur sa vie par ses *Lettres*, recueil de souvenirs, et par son autobiographie dans les *Vies*.

Vatican, Chapelle Sixtine 85.
Venise 41, 43; Galerie de l'Académie 40, 41, 43; peintres vénitiens 19.
VENEZIANO Domenico (Venise ? - Florence 1461) 18-20, 23, 24. On ne possède aucun document sur la date de sa naissance et les données sur sa vie et son activité sont fort rares. Il signe « Domenicus de Veneciis », ce qui prouve son origine vénitienne. Il s'établit à Florence dès 1439 et y réside jusqu'en 1445, travaillant à la décoration de San Egidio, avec l'aide de divers artistes, dont Piero della Francesca. Cette décoration est aujourd'hui entièrement perdue. Il ne reste de Domenico Veneziano que deux œuvres certaines: le *Retable de sainte Lucie*, dont la partie centrale est aux Offices, et des fragments de fresques conservés à la National Gallery de Londres. Autour de ces deux œuvres signées, on a pu grouper un petit nombre d'autres peintures.

VENTURI Adolfo, *Piero della Francesca* 97.
Vérone 26.

WARBURG, *Actes du Xᵉ Congrès International d'Histoire de l'Art, Rome 1922* 68.

TABLES

AVANT-PROPOS 5

PIERO DELLA FRANCESCA ET SON IDÉAL 9
    Prophète, détail 8

LA VISION ET LA CONNAISSANCE 12

LA VISION ET LE MONDE SENSIBLE 18

DOCUMENTS BIOGRAPHIQUES 23

LES ŒUVRES

PREMIÈRE PARTIE

POLYPTYQUE DE LA MISÉRICORDE 31
    La Madone de la Miséricorde, détail de la partie centrale 30
    Schéma du Polyptyque de la Miséricorde 32
    La Madone de la Miséricorde, partie centrale 33
    Crucifixion 34

LE BAPTÈME 36
    Le Baptême 37
    Idem, détail des anges 38
    Idem, détail du paysage 39

SAINT JÉRÔME ET LE DONATEUR JÉRÔME AMADI . . . 41
    Saint Jérôme et le donateur Jérôme Amadi 40

SAINT SIGISMOND VÉNÉRÉ PAR SIGISMOND MALATESTA 43
    Détail: Saint Sigismond, partie gauche 42
    Idem, Sigismond Malatesta, partie centrale 44
    Saint Sigismond vénéré par Sigismond Malatesta 45

LA FLAGELLATION 46
    La Flagellation 47
    Idem, détail: La Flagellation, partie gauche 48
    Idem, détail: Trois personnages, partie droite 49

DEUXIÈME PARTIE

FRESQUES DE LA LÉGENDE DE LA CROIX 51

*Vue de nos travaux photographiques à la Chapelle de l'Eglise
Saint-François, Arezzo 52*
*Vue de la Chapelle de l'église Saint-Francois, Arezzo,
parois de gauche (photo Del Turco Editore, Rome) 54*
*Vue de la Chapelle de l'église Saint-Francois, Arezzo,
parois de droite (photo Del Turco Editore, Rome) 55*

SCHÉMA DES FRESQUES 56

EMPLACEMENT DES DIFFÉRENTES SCÈNES 57

LA CHAPELLE D'AREZZO 58

La mort d'Adam, partie inférieure 59
Idem, détail de la scène de droite 60
Idem, détail de la scène centrale 61
Idem, détail de la scène de gauche 62
La visite de la reine de Saba au roi Salomon 64
La réception de la reine de Saba chez le roi Salomon 65
*La visite de la reine de Saba au roi Salomon, détail des
suivantes 66*
*La réception de la reine de Saba chez le roi Salomon, détail des
suivantes 67*
Idem, détail: La reine de Saba et le roi Salomon 69
Idem, détail: Personnages de la suite du roi Salomon 70
Idem, détail: Personnages de la suite de la reine de Saba 71

LA LÉGENDE DE LA CROIX 72

Le songe de Constantin 73
La victoire de Constantin sur Maxence, partie gauche 74
Idem, détail du paysage 75
Idem, détail: Tête de Constantin 76
L'invention de la Croix 78
La preuve de la vraie Croix, détail de droite 79
L'invention de la Croix, détail: La ville de Jérusalem 80
La preuve de la vraie Croix, détail du ressuscité 81

LES FRESQUES D'AREZZO ET LA CRITIQUE 82

    La bataille d'Héraclius contre Chosroès, détail 83
    Idem, détail 84
    Idem, détail 85
    Idem, détail 86
    Idem, détail 87
    La restitution de la Croix à Jérusalem, détail 88
    Idem, détail 89
    Idem, détail 91
    L'Annonciation 92

TROISIÈME PARTIE

LA RÉSURRECTION 94

    La Résurrection 95
    Idem, détail 96

DIPTYQUE DE FRÉDÉRIC DE MONTEFELTRO ET DE
BATTISTA SFORZA 97

    Battista Sforza, volet gauche 98
    Frédéric de Montefeltro, volet droit 99
    Scène allégorique, revers du volet droit 100
    Scène allégorique, revers du volet gauche 101

LA VIERGE ET L'ENFANT AVEC DEUX ANGES 102

    La Vierge et l'Enfant avec deux anges 103

LA NATIVITÉ 104

    La Nativité 105
    Idem, détail du paysage 106
    Idem, détail des anges musiciens 107

LA VIERGE ET L'ENFANT ENTOURÉS DE SAINTS ET
D'ANGES 108

    La Vierge et l'Enfant entourés de saints et d'anges, Frédéric
    de Montefeltro donateur 109

BIBLIOGRAPHIE 113

INDEX ET NOTICES BIOGRAPHIQUES 114

CE VOLUME,
LE SIXIÈME DE LA COLLECTION

LE GOÛT DE NOTRE TEMPS

A ÉTÉ ACHEVÉ D'IMPRIMER
POUR LE TEXTE ET L'ILLUSTRATION
SUR LES PRESSES DE
L'ATELIER D'IMPRESSION EN COULEURS

SKIRA

AUX IMPRIMERIES RÉUNIES S. A., LAUSANNE
LE TRENTE ET UN MARS MIL NEUF CENT CINQUANTE-QUATRE.

*Les œuvres reproduites dans ce volume ont été photographiées
par Hans Hinz, Bâle
(pages 3, 8, 42, 44, 52, 59-62, 64-67, 69-71, 73-76, 78-81, 83-89, 91, 92, 100),
par Claudio Emmer, Milan
(pages 30, 33, 34, 40, 45, 47, 48, 49, 95, 96, 98, 99, 101, 103, 109),
et par Louis Laniepce, Paris
(pages 37, 38, 39, 105, 106, 107).*

*Les clichés ont été gravés par
Guezelle et Renouard, photograveurs à Paris.*

IMPRIMÉ EN SUISSE / PRINTED IN SWITZERLAND